Das Lesetraining mit Käpt'n Carlo für 4. und 5. Klassen

Das Lesetraining mit Käpt'n Carlo für 4. und 5. Klassen

Nadine Spörer
Helvi Koch
Nina Schünemann
Vanessa A. Völlinger

Das Lesetraining mit Käpt'n Carlo für 4. und 5. Klassen

Ein Lehrermanual mit Unterrichtsmaterialien
zur Förderung des verstehenden und
motivierten Lesens

Prof. Dr. Nadine Spörer, geb. 1975. 1994–1999 Studium der Psychologie in Potsdam. 2009–2004 Wissenschaftliche Mitarbeiterin an der Universität Potsdam. 2004 Promotion. 2004–2010 Wissenschaftliche Assistentin an der Universität Gießen. 2009 Habilitation. Seit 2010 Professorin für Psychologische Grundschulpädagogik an der Universität Potsdam. Forschungsschwerpunkte: Förderung verstehenden und motivierten Lesens in der Grundschule, Selbstreguliertes Lernen, Umgang mit Heterogenität.

Dr. Helvi Koch, geb. 1977. 1999–2006 Studium der Germanistik, Psychologie und Philosophie an der Universität Potsdam. Seit 2009 Mitarbeitern am Department Lehrerbildung und fachdidaktische Forschung an der Universität Potsdam. 2015 Promotion. Forschungsschwerpunkte: Lesekompetenz, Reziprokes Lehren, Selbstreguliertes Lernen, Pädagogisch-psychologische Interventionen, Instruktionsmedien/ Arbeitsmittel im Unterricht.

Dr. Nina Schünemann, geb. 1983. 2002–2008 Studium der Psychologie an der Justus-Liebig-Universität Gießen. Von 2008 bis 2014 Mitarbeitern in der Abteilung für Pädagogische Psychologie an der Justus-Liebig-Universität Gießen. 2014 Promotion. Seit 2014 Psychologin in einer Kinder- und Jugendpsychiatrie und Lehrbeauftragte in der Abteilung für Pädagogische Psychologie an der Justus-Liebig-Universität Gießen. Forschungsschwerpunkte: Lesekompetenz, Reziprokes Lehren, Selbstreguliertes Lernen.

Dr. Vanessa A. Völlinger, geb. 1982. 2002–2007 Studium der Psychologie an der Justus-Liebig-Universität Gießen. 2010 Promotion. Seit 2007 als wissenschaftliche Mitarbeitern an der Justus-Liebig-Universität Gießen in der Abteilung für Pädagogische Psychologie, Arbeitsgruppe Pädagogisch-Psychologische Interventionsforschung, tätig. Forschungsschwerpunkte: Projekte zur Leseförderung.

Bibliografische Information der Deutschen Nationalbibliothek

Die Deutsche Nationalbibliothek verzeichnet diese Publikation in der Deutschen Nationalbibliografie; detaillierte bibliografische Daten sind im Internet über http://dnb.dnb.de abrufbar.

Hogrefe Verlag GmbH & Co. KG
Merkelstraße 3
37085 Göttingen
Deutschland
Tel.: +49 551 999 50 0
Fax: +49 551 999 50 111
E-Mail: verlag@hogrefe.de
Internet: www.hogrefe.de

Umschlagabbildung: © Christian Schwier – fotolia.com
Satz: ARThür Grafik-Design & Kunst, Weimar
Druck: Media-Print Informationstechnologie, Paderborn
Printed in Germany
Auf säurefreiem Papier gedruckt

1. Auflage 2016
© 2016 Hogrefe Verlag GmbH & Co. KG, Göttingen
(E-Book-ISBN [PDF] 978-3-8409-2723-2; E-Book-ISBN [EPUB] 978-3-8444-2723-3)
ISBN 978-3-8017-2723-9
http://doi.org/10.1026/02723-000

Inhaltsverzeichnis

III. Anhang

CD-ROM

Die CD-ROM enthält PDF-Dateien aller Arbeitsmaterialien (Texte, Quizfragen, Quizlösungen etc.), die zur Durchführung des Trainingsprogramms notwendig sind.

Vorwort

Das vorliegende Trainingsprogramm zielt darauf ab, einen Beitrag zur Förderung der Lesekompetenz von Viert- und Fünftklässlern zu leisten. Es wurde im Rahmen eines mehrjährigen Forschungsprojekts entwickelt und sowohl durch externe Lerntrainer im Unterricht als auch durch Lehrkräfte in ihrem Regelunterricht erprobt. Für die Förderung der Trainingsstudien sind wir der Deutschen Forschungsgemeinschaft sehr zu Dank verpflichtet.

Bei der Implementation und Evaluation des Programms haben wir von vielen Seiten Unterstützung erhalten. Dafür möchten wir uns an dieser Stelle herzlich bedanken.

Wir danken den Schulleitungen sowie den Lehrkräften der vielen hessischen und brandenburgischen Schulen, die die Realisierung des Trainings im Rahmen ihres Unterrichts ermöglicht und die Umsetzbarkeit jeder einzelnen Unterrichtsstunde mit kritischem Auge geprüft haben.

Ohne den engagierten Einsatz sowohl der Gießener als auch der Potsdamer Arbeitsgruppe wäre es nicht möglich gewesen, ein solches Projekt in überschaubarer Zeit durchzuführen. Besonderer Dank gebührt dabei Joachim C. Brunstein, der als unermüdlicher Diskutant für die Umsetzung unserer Trainingsideen ein klares theoretisches Fundament einforderte. Darüber hinaus danken wir Stefanie Bosse und Michaela Demandt, die sowohl an der inhaltlichen Gestaltung als auch an der Implementation des Trainings mitwirkten. Schließlich danken wir unseren studentischen Mitarbeitern, die an der Datenerhebung und -aufbereitung beteiligt waren.

Wir wünschen allen Lehrkräften viel Spaß bei der Durchführung des Programms und nachhaltigen Erfolg bei der Förderung der Lesekompetenz ihrer Schüler.

Potsdam, Köln und Gießen, im Januar 2016

Nadine Spörer, Helvi Koch, Nina Schünemann
und Vanessa A. Völlinger

I. Theoretischer Hintergrund

Kapitel 1

Konzeption des Trainingsprogramms

Das Lesetraining mit Käpt'n Carlo als Maskottchen wurde für Schulkinder der 4. und 5. Jahrgangsstufe entwickelt und hat das Ziel, die Lesekompetenz zu fördern. Den Schülern werden spezifische Lesestrategien vermittelt und sie werden zum selbstregulierten Lernen angeregt. In der Unterrichtseinheit lernen Kinder in Kleingruppen nach der Methode des reziproken Lehrens, einer Lernform, die von Palincsar und Brown (1984; Palincsar, Brown & Martin, 1987) entwickelt wurde. Ihr ursprüngliches Ziel war es, mit dieser Methode Kinder mit gravierenden Rückständen im Leseverständnis zu fördern. Ausgangspunkt waren Annemarie Palincsars Beobachtungen, die sie als Lehrerin im Förderunterricht machte: Kinder, die an sich flüssig lesen konnten (d. h. mit angemessenem Tempo Texte korrekt laut vorlasen), hatten mitunter größere Schwierigkeiten, die Bedeutung des gelesenen Textes wiederzugeben. Sie lasen folglich, ohne zu verstehen, was sie gelesen hatten. Wie nun konnte solchen Schülern geholfen werden? Palincsar und Brown entwickelten das Förderprogramm in zwei Schritten: Zuerst prüften sie, welche Lesestrategien es Schulkindern ermöglichten, sich die Bedeutung des Gelesenen selbst zu erarbeiten. Anschließend konzipierten sie eine Methode, wie sich Kinder die jeweiligen Strategien in einem überschaubaren Zeitrahmen (etwa acht Wochen) aneignen können.

Bei der Wahl der effektiven Lesestrategien orientierten sich Palincsar und Brown an Erkenntnissen der Leseforschung (Brown, Campione & Day, 1981), deren Annahmen durch aktuelle Studien als gut belegt gelten. Gute Leser aktivieren zum Beispiel ihr Vorwissen, welches sie zu dem Textthema besitzen, sie konzentrieren sich auf die Kernaussagen eines Textes und bewerten die innere Stimmigkeit der einzelnen Aussagen. Außerdem werden aus dem Gelesenen Schlussfolgerungen gezogen und deren Richtigkeit überprüft. Schließlich überwachen kompetente Leser fortwährend, ob sie das Gelesene auch wirklich verstanden haben (Artelt, Schiefele & Schneider, 2001; Cromley & Azevedo, 2007; Mason, 2004). Von diesen Kriterien des „guten Lesens" leiteten Palincsar und Brown vier Strategien ab, die Kindern vermittelt werden sollten:

- Unklarheiten erkennen, um Verständnisschwierigkeiten auszuräumen und schwierige Textpassagen zu entschlüsseln;
- eigene Fragen zum Text stellen, um die gelesenen Aussagen zu verstehen und Fortschritte im Sinnverständnis zu kontrollieren;
- Textabschnitte in eigenen Worten zusammenfassen, um sie auf ihre Kernaussagen zu reduzieren;
- Vorhersagen treffen, um den erfassten Sinn des bisher Gelesenen auf nachfolgende Textpassagen anzuwenden und dabei zu prüfen, ob die Vorhersagen zutreffend sind.

Bei der Methode „reziprokes Lehren" werden diese vier Lesestrategien auf Sachtexte angewendet. Gelesen wird in Kleingruppen. Beteiligt sind vier bis sechs Kinder, die gemeinsam einen Text Abschnitt für Abschnitt lesen und besprechen. Hinter dem Begriff „reziprokes Lehren" verbirgt sich dabei Folgendes: Für jeden Textabschnitt bestimmt die Gruppe ein Kind, das die übrigen Kinder der Gruppe anleitet. Von Abschnitt zu Abschnitt schlüpft ein anderes Kind der Gruppe in diese Rolle. Alle Kinder einer Klasse übernehmen somit im Verlauf einer Unterrichtsstunde Aufgaben, die sonst ihre unterrichtenden Lehrkräfte erfüllen. Das ist eine Besonderheit dieser Lernform. Die Kinder einer Gruppe unterrichten sich wechselseitig selbst. Das „Lehrerkind" entscheidet, welches andere Mitglied der Gruppe eine bestimmte Strategie anwenden soll, und schätzt auch ein, ob die Antwort inhaltlich korrekt ist und ob die Strategie richtig angewendet worden ist.

Ein zentrales Element reziproken Lehrens besteht also darin, dass die Mitglieder einer Kleingruppe sich bei der Anwendung von Lesestrategien unterstützen, sodass gemeinschaftlich die Bedeutung von Wörtern und Sätzen erarbeitet und das Verstehen des Textes als Ganzes gefördert wird (Hacker & Tenent, 2002).

Den theoretischen Hintergrund zur Wirkung reziproken Lehrens bilden Modelle des *selbstregulierten Lernens* (Zimmerman, 2002). Beim selbstregulierten Lernen setzt man sich eigene Lernziele, wählt Lernstrategien aus, die zur gestellten Aufgabe passen, überwacht die Strategieanwendung und prüft, ob diese zum gewünschten Ziel geführt hat. In der Rolle des Lehrers steuern und beobachten die Kinder das Lernen der Gruppe: Sie fordern die Mitglieder der Lerngruppe auf, eine bestimmte Lesestrategie anzuwenden und unterstützen die korrekte Ausführung der betreffenden Strategie. Zudem planen die Kinder vor jedem Lesen, welche Lesestrategien sie anwenden wollen, um den Text gut verstehen zu können.

Mit den vorliegenden Unterrichtsmaterialien haben wir die Ideen von Palincsar und Brown zum reziproken Lehren aufgegriffen und für die Umsetzung im Regelunterricht weiterentwickelt (Seuring & Spörer, 2010).

Wird reziprokes Lehren mit einer gesamten Klasse praktiziert, benötigen die Kinder zunächst mehr erklärende Hilfsmaterialien, weil die Lehrkraft nicht gleichzeitig alle Kleingruppen anleiten kann. Zu diesem Zweck wurde für den Unterricht ein Lesetagebuch entwickelt, das die Kinder beim Setzen von Lesezielen und beim Reflektieren unterstützt. Zudem gibt es ein Logbuch, das Hinweise für die Gruppenarbeit enthält. Schließlich haben wir zu jedem Sachtext, der in der Gruppe gelesen wird, ein kurzes Quiz entwickelt, damit die Kinder ihr Leseverständnis selbstständig überprüfen können. Anhand von Reflexionsfragen, die im Lesetagebuch stehen, denken sie darüber nach, ob sie ihre Leseziele erreicht haben und sie resümieren, was sie in der nächsten Stunde üben wollen. Auf diese Weise lernen sie selbstreguliert und erfahren den Zusammenhang zwischen Strategienutzung und Leseverständnis (Schünemann, Spörer & Brunstein, 2013).

1.1 Die Unterrichtseinheit

Die Unterrichtseinheit um *Käpt'n Carlo* lässt sich im regulären Unterricht oder in Fördergruppen, die außerhalb des Unterrichts angeboten werden, anwenden. Sie ist in eine Einführungs- und in eine Festigungsphase untergliedert. Für die Einführung sollten fünf Stunden (je 45 Minuten), für die Fstigung neun Stunden veranschlagt werden.

In der Einführungsphase lernen die Kinder die Rahmenhandlung mit den beiden Protagonisten *Käpt'n Carlo* und *Papagei Einstein* kennen. Diese beiden Figuren begleiten die Klasse durch die gesamte Unterrichtseinheit. Zudem werden alle Kinder mit den vier Lesestrategien *Klären*, *Fragen*, *Zusammenfassen* und *Vorhersagen* vertraut gemacht. Dazu erklärt die Lehrkraft, was diese Strategien bedeuten und wie man sie beim Lesen eines Sachtextes nutzen kann. Dabei denkt sie laut und verbalisiert somit ihre handlungsleitenden Gedanken. Danach üben die Kinder die Strategien selbst ein. Im Verlauf des Trainings werden die Strategien zu Beginn jeder Übungsstunde wiederholt. Was zunächst überflüssig scheint, hat eine wichtige Funktion. Die Kinder beschreiben, wie die einzelnen Strategien angewendet werden und festigen damit ihr Wissen über Lesestrategien.

Die → *Karten* mit den einzelnen Strategien sollten von der Lehrkraft (oder einem Schüler) in der Reihenfolge an der Tafel angebracht werden, in der sie auf einen Textabschnitt anzuwenden sind.

Abbildung 1: Lesezeichen

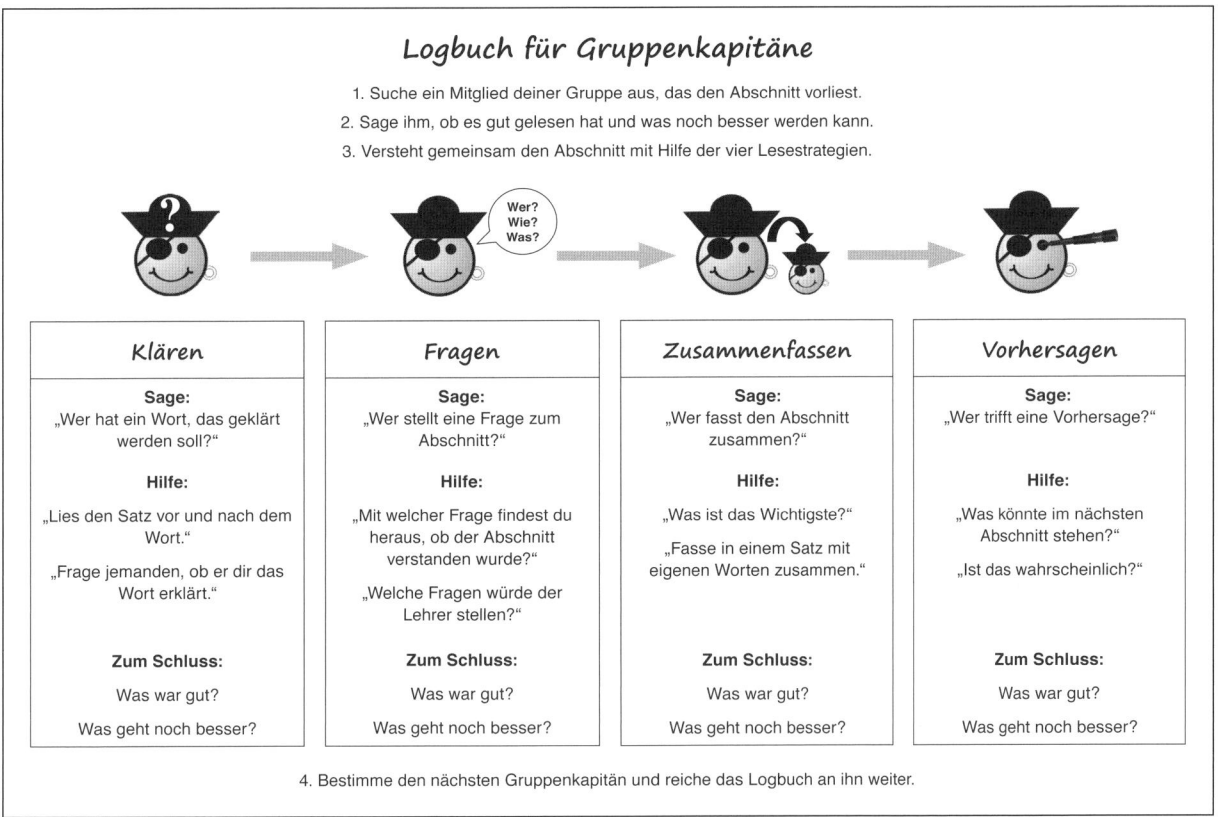

Abbildung 2: Logbuch

Beim Verinnerlichen der Strategien unterstützen außerdem das → *Lesezeichen* und das → *Arbeitsblatt „Unsere vier Lesestrategien"*.

Des Weiteren lernen die Kinder die unterschiedlichen Rollen und Aufgaben während des Lesens in Kleingruppen kennen.

Während der Festigungsphase hilft ihnen das → *Logbuch* beim selbstständigen Lesen in den Kleingruppen, denn hier sind alle wesentlichen Aufgaben des „Gruppenkapitäns" notiert.

Die anderen Gruppenmitglieder haben die Aufgabe, das zu tun, wozu sie ihr Kapitän jeweils auffordert: Den Textabschnitt laut vorlesen, eine Strategie anwenden, die Antwort ggf. mit Hilfe der Gruppe verbessern und anderen Gruppenmitgliedern helfen.

Schließlich lernt die Klasse das → *Lesetagebuch* kennen.

Das Lesetagebuch wird in jeder Stunde der Festigungsphase ausgefüllt und hilft, das Lesen zu planen und den Lernfortschritt zu überwachen.

Zur Visualisierung der Lernfortschritte dient zudem die → *Quizpalme*. Auf diesem Blatt trägt jedes Kind seine Quiz-Ergebnisse ein. Anhand ihrer Lernkurven können die Kinder feststellen, ob sie Texte im Verlauf des Trainings immer besser verstehen.

Unterrichtsstunde Nr. 6   Datum: _____

Mein Quiz-Ziel:

_____ Punkte

Wie kann ich mein Quiz-Ziel erreichen?

_____

_____

_____

_____

_____

_____

Im Quiz habe ich heute _____ **Punkte geschafft.**

Habe ich mein Quiz-Ziel erreicht?

☐ 🙂   ☐ 🙁

Überlege: Warum war ich gut oder nicht so gut im Quiz? Dabei helfen dir die Fragen:

Welche Strategien habe ich heute wirklich geübt?

☐ Klären   ☐ Fragen   ☐ Zusammenfassen   ☐ Vorhersagen

Wer?
Wie?
Was?

Was will ich noch mehr üben?

_____

_____

_____

Abbildung 3: Auszug aus dem Lesetagebuch

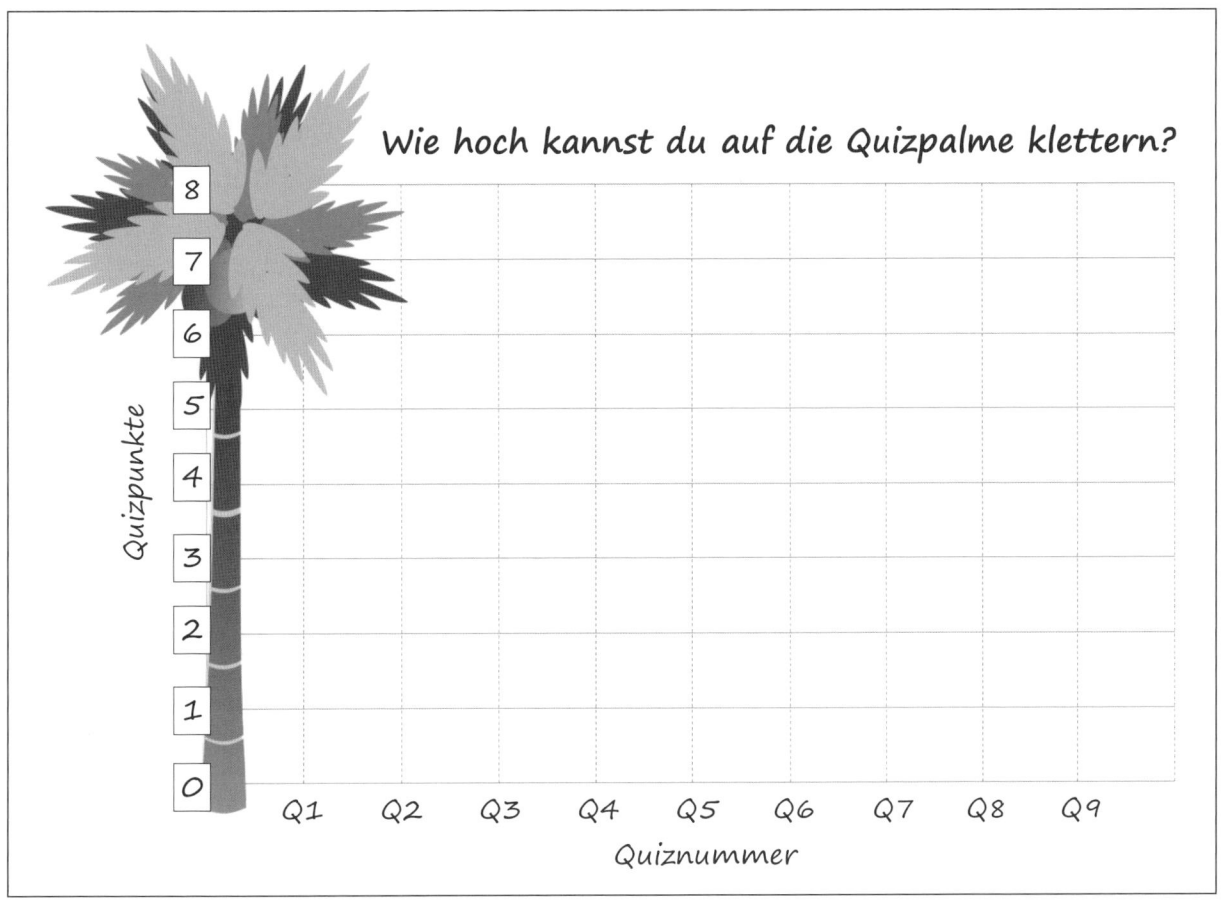

Abbildung 4: Quizpalme

Es empfiehlt sich, dass jedes Kind einen Trainingshefter in A4-Format bekommt, in dem es alle Materialien abheften kann.

In der Festigungsphase üben die Gruppen die Lesestrategien und verbessern sich so Schritt für Schritt in ihrem Leseverständnis. In dieser Phase arbeiten die Gruppen zunehmend selbstständiger und die Lehrkraft zieht sich immer mehr zurück. Nur noch gelegentlich bzw. bedarfsweise gibt sie Hilfestellungen und Hinweise, so dass die Kinder immer mehr die Verantwortung für das gemeinsame Lernen übernehmen können.

Die Unterrichtsstunden haben in dieser Phase einen relativ festen Ablauf: In den ersten zehn Minuten schreiben die Kinder ihre Leseziele in ihr Lesetagebuch und die Gruppe wählt einen Text aus. In den folgenden 25 Minuten lesen die Gruppen abschnittsweise den Text und wenden die Lesestrategien an. Dabei übernehmen die Gruppenmitglieder abwechselnd die Rolle des Gruppenkapitäns. In den letzten zehn Minuten bearbeiten die Kinder individuell ein zum Text passendes

Quiz und schreiben ihre Ergebnisse und Beobachtungen zum eigenen Leseverhalten in ihr Lesetagebuch. Gemeinsam mit der Lehrkraft reflektieren die Kinder, warum sie ihre Ziele erreicht haben (oder warum nicht) und denken darüber nach, worin sie sich noch verbessern wollen.

Damit die Gruppen immer selbstständiger arbeiten und die Strategien verinnerlichen, werden im Verlauf der Festigungsphase die Hilfen Schritt für Schritt ausgeblendet. So wird in den letzten Stunden z. B. ohne Logbuch gearbeitet. Auf diese Weise ist das selbstregulierte Lernen nicht nur eine Lernmethode. Es wird vielmehr selbst zum Ziel der Unterrichtseinheit (s. Abbildung 6). In der letzten Stunde des Trainingsprogramms reflektiert die Klasse gemeinsam, wie die Strategien in den kommenden Wochen und Monaten weiter genutzt werden können (z. B. in anderen Fächern, bei den Hausaufgaben). Jedes Kind bekommt eine → *Urkunde* und wird zum Lesekapitän ernannt. Gemeinsam kann eine Schatzkiste geöffnet werden, die die Lehrkraft mit kleinen Überraschungen gefüllt hat.

Lesekapitänin

Hiermit wird

Anne

zur Kapitänin der Lesemeere ernannt!

Du hast alle Schwierigkeiten gemeistert und
den Leseschatz gefunden!

Herzlichen Glückwunsch!
Viele Grüße von Carlo und Einstein

Abbildung 5: Urkunde

1.2 Hinweise zur Umsetzung

Wenn die Unterrichtseinheit durchgeführt wird, sollten möglichst alle Kinder der Klasse über ausreichende Dekodierfähigkeiten verfügen. Sie sollten also in der Lage sein, Wörter und Sätze flüssig zu lesen. Sollte dies nicht zutreffen, empfehlen wir, vor der Vermittlung der Lesestrategien das flüssige Lesen verstärkt zu fördern.

In Abhängigkeit von der Jahrgangsstufe wird eine Klasse unterschiedlich umfangreiche Erfahrungen mit dem Lernen in Gruppen gesammelt haben. Daher kann es sinnvoll sein, dass vor dem

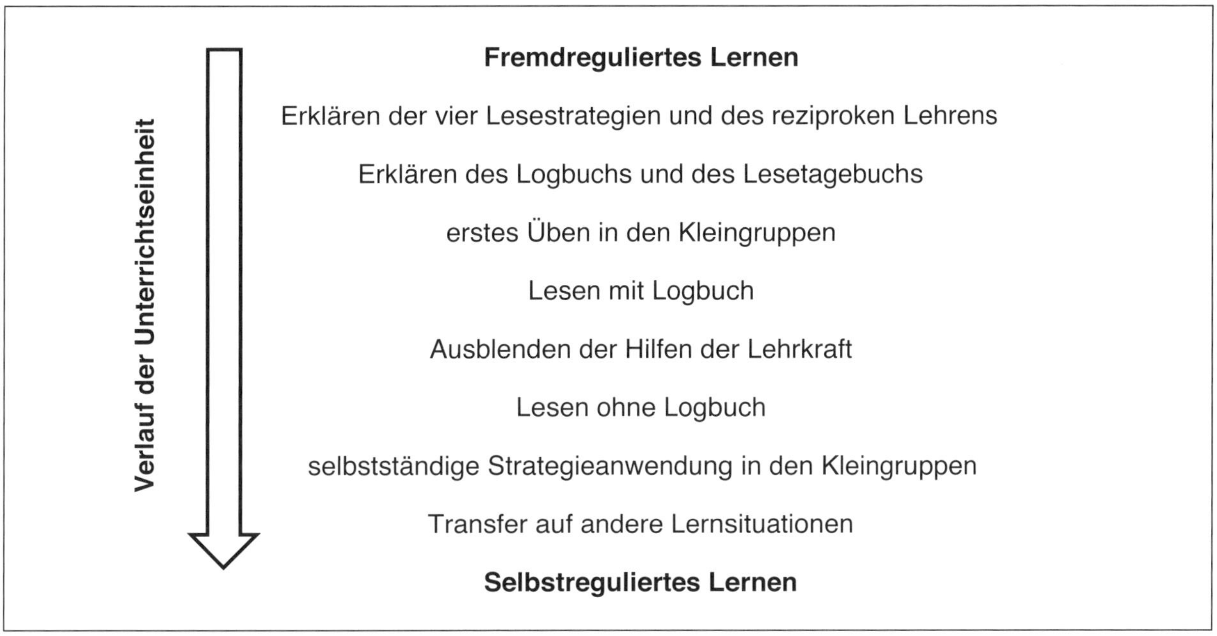

Fremdreguliertes Lernen

Erklären der vier Lesestrategien und des reziproken Lehrens

Erklären des Logbuchs und des Lesetagebuchs

erstes Üben in den Kleingruppen

Lesen mit Logbuch

Ausblenden der Hilfen der Lehrkraft

Lesen ohne Logbuch

selbstständige Strategieanwendung in den Kleingruppen

Transfer auf andere Lernsituationen

Selbstreguliertes Lernen

Verlauf der Unterrichtseinheit

Abbildung 6: Vom fremd- zum selbstregulierten Lernen

Lesen in den Kleingruppen Regeln für die Zusammenarbeit vereinbart und auf einem gut sichtbaren Plakat notiert werden (z. B. „Wir hören einander zu!").

Die Kleingruppen sollten idealerweise aus vier (maximal sechs) Kindern bestehen. Bei noch größeren Gruppen besteht die Gefahr, dass sich zu selten Gelegenheit bietet, die Rolle als Gruppenkapitän zu übernehmen. Die Kleingruppen sollten so zusammengesetzt werden, dass heterogene Gruppen entstehen. Nach Möglichkeit sollten also Mädchen und Jungen, Kinder mit und ohne Migrationshintergrund, leistungsstärkere und leistungsschwächere Kinder usw. zusammen lernen.

Der Zusammenhalt in den jeweiligen Kleingruppen wird durch das Anfertigen einer → *Gruppenflagge* unterstützt. Diese Flaggen werden in der Unterrichtsstunde 3 angefertigt. In dieser Stunde gibt sich außerdem jede Gruppe einen Gruppennamen. Nachdem die Flaggen gestaltet wurden, können sie aus der Vorlage ausgeschnitten und auf den Gruppentischen platziert werden. Dazu empfehlen wir folgendes Vorgehen:
• Die Gruppenflagge entlang der Umrisslinie ausschneiden und an der gestrichelten Linie falzen.
• Der Fahnenmast wird um einen Stift oder einen Trinkhalm gelegt und das überstehende Papierende an der Fahnenrückseite festgeklebt.

• Die fertige Gruppenflagge wird in einen Stifteköcher gesteckt oder in eine Flasche gestellt und schmückt dann den jeweiligen Gruppentisch.

Die → *Texte*, die in den Unterrichtsstunden zum Einsatz kommen, sind einheitlich gestaltet und in klar erkennbare Abschnitte unterteilt. Diese Vorstrukturierung der Texte hilft den Kindern bei der Bearbeitung in den Kleingruppen, denn die Texte werden abschnittsweise gelesen und besprochen. Selbstverständlich können auch Texte aus Lehrbüchern für das reziproke Lehren verwendet werden. Der Textschwierigkeitsgrad sollte dabei das Leseniveau der lesestärksten Kinder nicht über- und das der leseschwächsten nicht unterschreiten. Die Textthemen sollten sich zudem an den Interessen der Kinder orientieren. Es hat sich bewährt, für jede Stunde mindestens zwei verschiedene Texte zur Verfügung zu stellen, damit jede Lerngruppe selbst entscheiden kann, welchen Text sie lesen möchte. Für das vorliegende Training liegen für jede Stunde, in der reziprok gelesen wird, drei Auswahltexte vor.

Ein wichtiges Element der Unterrichtseinheit sind die → *Quizze*. Mit Hilfe der Quizze können die Kinder ihren Lernfortschritt erkennen und reflektieren, welche Strategien sie noch üben sollten. Lernstrategien sind kein Selbstzweck. Sie helfen bei schulischen Anforderungen, wie z. B. dem Verstehen eines Textes. Die Quizze wiederum geben Auskunft darüber, wie gut ein Text verstanden wurde. Deshalb sollte auf die Quizze nicht verzichtet werden. Bei der Erstellung der Quizze wurde darauf geachtet, dass jeder der zur Wahl stehenden Texte pro Unterrichtsstunde die gleiche Anzahl an Fragen hat. Über den Trainingsverlauf hinweg steigt dann die Anzahl der Quizfragen bzw. die zu erreichende Punktzahl an. Es wurden sowohl Ankreuz- als auch offene Fragen entwickelt, welche kurze und eindeutige Antworten verlangen. Alle Fragen können von den Kindern mittels der → *Quizlösungen* (auf CD-ROM verfügbar) selbst ausgewertet werden.

Während der Gruppenarbeit sitzen die Kinder an zusammengestellten Tischen, sodass sie sich anschauen können. Alle benötigten Materialien liegen griffbereit. In Abhängigkeit von der Organisation im Klassenraum sollte die Lehrkraft entscheiden, welche Materialien bei den Kindern verbleiben und welche nach jeder Stunde eingesammelt werden. In unseren eigenen Umsetzungen hat es sich als praktikabel erwiesen, dass jedes Kind seine Materialien (insbesondere die Texte und Quizze) in einem eigenen Hefter sammeln konnte.

Zudem hat es sich bewährt, eine Routine für das Austeilen der jeweils neuen Materialien, wie z. B. der Texte, zu entwickeln. Wir empfehlen, dass die Gruppenkapitäne für ihre Gruppe die gewählten Texte von der Lehrkraft abholen und in ihrer Gruppe verteilen.

Die Lehrkraft sollte immer darauf achten, dass die Kinder respektvoll und hilfsbereit miteinander umgehen. Abwertende Reaktionen (wenn ein Kind z. B. nicht gleich die Antwort weiß und daraufhin von einem anderen Kind unterbrochen wird) sind bereits im Ansatz zu unterbinden. Unterstützendes und kooperatives Gruppenverhalten wird hingegen lobend verstärkt. In schwierigen Fällen kann auch ein Verstärkungsplan eingesetzt werden, in dem positives Verhalten beispielsweise durch Stempelbilder gefördert wird. Die Lehrkraft sollte hierbei auf die Belohnungssysteme zurückgreifen, die sie bereits in der Klasse etabliert hat.

Die Dauer der Einführung der Lesestrategien und deren wiederholende Anwendung in der Festigungsphase können in Abhängigkeit vom Vorwissen der Kinder variieren. Unser Zeitplan ist daher eine Empfehlung, die auf unseren eigenen Erfahrungen basiert. Es macht keinen Sinn, einen starren Plan einzuhalten und bereits mit der Festigungsphase zu beginnen, wenn die Lesestrategien noch nicht verstanden worden sind. Außerdem gilt: Je größer die Klasse ist (und damit auch die Anzahl der Kleingruppen), desto mehr Übungszeit sollte insgesamt für die Festigungsphase veranschlagt werden. Auf diese Weise hat auch die Lehrkraft ausreichend Zeit, sich einen Überblick über die Zusammenarbeit der Gruppen und den Lernzuwachs der einzelnen Schüler zu verschaffen.

Auf der beiliegenden CD-ROM befinden sich folgende Materialien: Texte, Quizfragen, Quizlösungen sowie alle im Anhang aufgeführten Materialien.

1.3 Umgang mit Heterogenität

Ein zentrales Merkmal guten Unterrichts betrifft die individuelle Förderung von Schülern mit heterogenen Lernvoraussetzungen (Helmke, 2010; Klieme & Warwas, 2011). Ist somit die Realisierung eines Trainingsprogramms für eine ganze Klasse überhaupt zeitgemäß?

Unsere Erfahrungen bei der Anwendung des Programms zeigen, dass die Umsetzung besonders gut gelingt, wenn die Schülergruppen *leistungsheterogen* zusammengesetzt sind. In leistungsheterogenen Gruppen lernen zum einen leistungsschwächere Schüler von ihren leistungsstärkeren Peers. Ein leistungsstarkes Kind ist schon nach wenigen Stunden in der Lage, die Strategien angemessen anzuwenden, so dass es mit seinem Verhalten ein positives Modell bildet. Zum anderen profitieren aber auch die leistungsstärkeren Kinder vom Austausch in ihrer Kleingruppe, denn sie erklären häufig noch einmal die korrekte Anwendung einer Lesestrategie. Diese metakognitive Einsicht auf das Anwenden der Lesestrategien unterstützt die eigene Strategienutzung. Unsere Untersuchungen haben gezeigt, dass die Qualität der Dialoge in den Kleingruppen mit einer Verbesserung des Textverständnisses einhergeht (Schünemann, 2013). Die Entwicklung einer Gruppenidentität und damit das Entstehen eines Zusammengehörigkeitsgefühls werden im

Training durch die Gestaltung einer Gruppenflagge und das Finden eines Gruppennamens unterstützt.

Eine individuelle Förderung kann sich auf sehr unterschiedliche Facetten beziehen. So können z. B. Aufgaben im Umfang, in der Schwierigkeit oder auch thematisch differenziert werden. Im vorliegenden Training werden für jede Unterrichtsstunde drei inhaltlich verschiedene Texte zur Wahl gestellt, so dass sich jede Gruppe für denjenigen Text entscheiden kann, der thematisch am besten zum Interesse der Gruppe passt. Zudem besteht die Möglichkeit, dass nicht ausgewählte Texte beispielsweise in Freiarbeitszeiten gelesen werden. Dieses Angebot richtet sich an besonders Interessierte und führt dazu, dass eine Differenzierung hinsichtlich des Leseumfangs gewährleistet werden kann.

Schließlich steigt der Schwierigkeitsgrad der Sachtexte und Quizze im Verlauf der Unterrichtseinheit progressiv an. Diese schrittweise Erhöhung der Anforderung kann auch für eine weitere Differenzierung genutzt werden. So können eher leistungsschwache Kleingruppen oder Klassen länger mit den leichter verständlichen Texten arbeiten, sehr leistungsstarke Gruppen oder Klassen können hingegen schneller zu jenen Texten wechseln, die höhere Anforderungen an den Leser stellen.

1.4 Wirksamkeit und Wirksamkeitsbedingungen

Die Methode des reziproken Lehrens zählt zu den evidenzbasierten Fördermaßnahmen. Das bedeutet, dass zahlreiche Befunde vorliegen, die über das Ausmaß der Wirksamkeit und spezifische Wirksamkeitsbedingungen informieren.

Reziprokes Lehren wurde ursprünglich für leistungshomogene Gruppen konzipiert, nämlich für Kinder mit gravierenden Verständnisschwierigkeiten beim Lesen. Bei der ersten Erprobung ihres Leseprogramms fanden Palincsar und Brown (1984) entsprechend, dass extrem leseschwache Schüler nach sechs Wochen, in denen sie pro Schultag eine Stunde gefördert wurden, Rückstände von bis zu zwei Schuljahren aufholen konnten.

Mittlerweile hat sich das reziproke Lehren als eine sehr erfolgreiche Methode zur Förderung des Leseverständnisses im Kontext des Regelunterrichts herausgestellt. In einer Metaanalyse, die auf 16 Studien basierte, fanden Rosenshine und Meister (1994), dass reziprokes Lehren sowohl bei standardisierten Tests als auch bei schul- und alltagsnahen Leseverständnisaufgaben herkömmlichen Methoden der Leseförderung überlegen ist. Hattie (2009) bezeichnet das reziproke Lehren als eine der wirksamsten Lehr-Lern-Methoden überhaupt.

Unsere eigenen Untersuchungen zeigen, dass sowohl lesestärkere als auch leseschwächere Kinder von dieser Form des gemeinsamen Lernens profitieren (Seuring & Spörer, 2010; Spörer, Brunstein & Kieschke, 2009). Jüngste Forschungsergebnisse deuten darauf hin, dass reziprokes Lehren im Klassenkontext besonders wirksam ist, wenn es um spezifische Selbstregulationsprozeduren angereichert wird (Schünemann, Spörer & Brunstein, 2013; Spörer & Schünemann, 2014). Diese Prozeduren beziehen sich auf das Planen und das Reflektieren des Lernens: Welche Strategien möchte ich üben? Wie viele Punkte möchte ich im Quiz schaffen? Was ist mir heute gut gelungen? Sie finden sich in den vorliegenden Materialien im Lesetagebuch wieder. Durch das wiederholte Ausfüllen des Lesetagebuchs wird zudem der zyklische Charakter selbstregulierten Lernens aufgegriffen (Zimmerman, 2002), denn Reflexionen am Ende einer Stunde bilden die Grundlage für die Ziele der kommenden Stunde (s. Abbildung 7).

Unsere Studien zeigen zudem, dass das Trainingsprogramm in beiden anvisierten Jahrgangsstufen mit Erfolg eingesetzt werden kann (Koch & Spörer, in Druck; Koch & Spörer, in Vorb.). Zum einen schätzten Lehrkräfte die einzelnen Unterrichtsstunden als gut durchführbar ein. Zum anderen konnte das Leseverständnis von Viert- und Fünftklässlern nachhaltig gefördert werden. Schließlich ließ sich das Training gut mit anderen Fächern kombinieren: Während im Deutschunterricht der grundlegende Ablauf vermittelt und eingeübt wurde, wurde im Anschluss daran das reziproke Lehren auch zum Verstehen von Texten z. B. im Sachunterricht oder in Biologie genutzt (Koch, 2015).

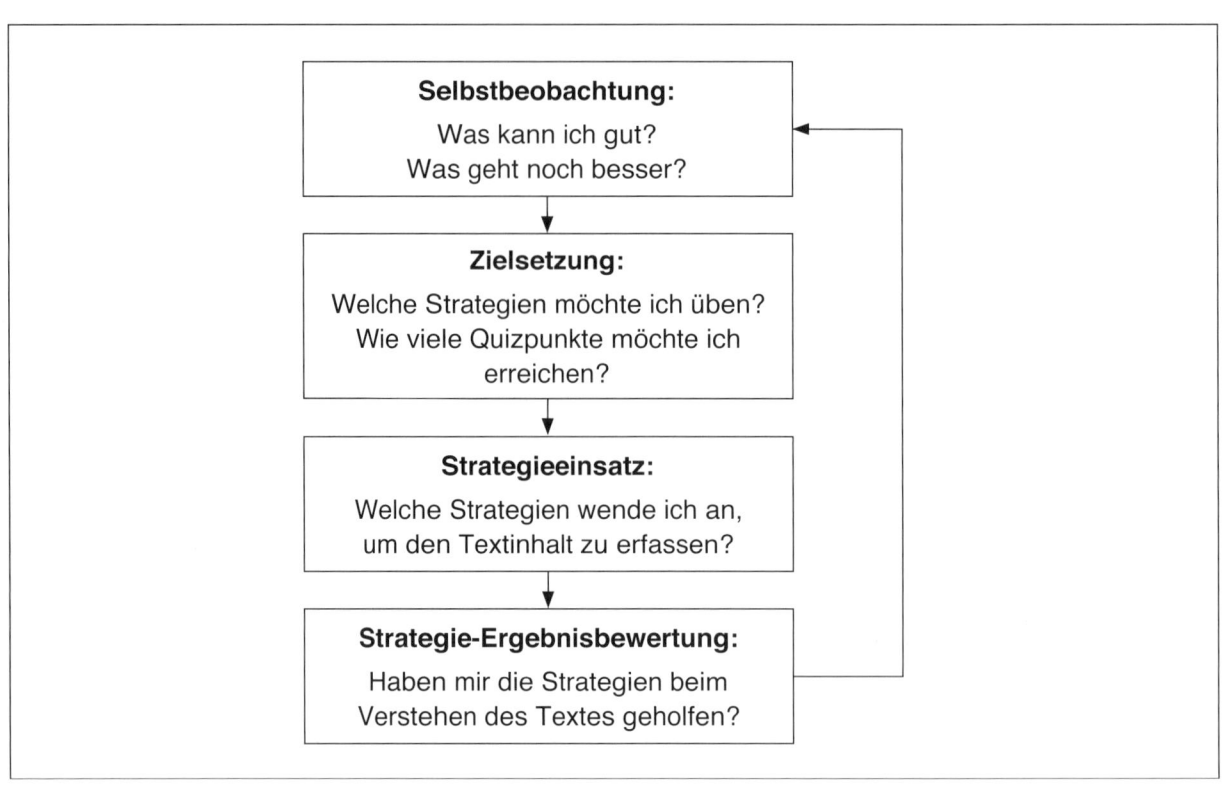

Abbildung 7: Lernen als zyklischer Prozess

II. Das Trainingsprogramm

Kapitel 2

Übersicht Trainingsablauf

Tabelle 1: Die Inhalte der Unterrichtsstunden

Unterrichts-stunde	Inhalt	Zeitrahmen
1	Vorstellung der Unterrichtseinheit	10 Min.
	Klärung des Strategiebegriffs	5 Min.
	Einführung in das Klären	15 Min.
	Einführung in das Fragen	15 Min.
2	Wiederholung	5 Min.
	Einführung in das Zusammenfassen	20 Min.
	Einführung in das Vorhersagen	20 Min.
3	Wiederholung der Lesestrategien	15 Min.
	Anwendung der Lesestrategien	20 Min.
	Malen der Flaggen	10 Min.
4	Vorstellung der Flaggen	10 Min.
	Einführung in die Arbeit mit dem Logbuch	25 Min.
	Wie gibt man Rückmeldung als Gruppenkapitän?	10 Min.
5	Wiederholung der Aufgaben des Gruppenkapitäns	5 Min.
	Üben in den Lesegruppen	20 Min.
	Einführung in das Setzen von Lesestrategiezielen	20 Min.
6 bis 13	Textauswahl und Ziele setzen	10 Min.
	Kleingruppenarbeit	25 Min.
	Quiz und Reflexion	10 Min.
14	Textauswahl und Ziele setzen	10 Min.
	Kleingruppenarbeit	20 Min.
	Quiz und Reflexion	5 Min.
	Abschluss der Unterrichtseinheit	10 Min.

Tabelle 2: Die verwendeten Texte

Unterrichts-stunde	Texte
1 und 2	– Computerspieleentwickler
3 und 4	– Seepferdchen in Seenot
5	– Der Champion unter den Schlittenhunden
6	– Eichhörnchen: Bald nur noch Graupelzer? – Von Beruf Polizist – Einheitstracht in der Schule?
7	– Esel: Unverbesserliche Sturköpfe? – Sport mal anders (Teil 1) – Rätselhafte Zeichen auf alten Steinplatten
8	– Sport mal anders (Teil 2) – Dickhäuter am Ewaso Ng'iro – Klassenzimmer auf Rädern
9	– Wohnzimmer der Koalas – Von Beruf Hundetrainer – Brummende Flugkünstler im Mai
10	– Schwärme: Einer für alle, alle für einen – Nicht Schmusekatze, sondern wilder Jäger – Roboter-WM
11	– Bezaubern lassen ist nicht schwer, selber zaubern jedoch sehr – Wölfe in Deutschlands Wäldern – Von Beruf Journalist
12	– Cyber-Ärger: Mobbing in der digitalen Welt – Zähne: Kleine Wunderwerke – Geheimnisvolle Sandgemälde
13	– Einhörner: Wahrheit oder Mythos? – Tiere auf Rezept – Helfer aus Stahl
14	– Null Bock auf Schule? – Mit 200 Sachen auf und ab – Die Erfindung der Sommerzeit

Kapitel 3

Trainingsanleitung

Die nachfolgenden Beschreibungen der einzelnen Stunden der Unterrichtseinheit sind so ausgestaltet, dass ein ganz konkreter Einblick in das erprobte Unterrichtsgeschehen genommen werden kann. Entsprechend detailliert sind die Abläufe der Stunden dargestellt. Für einen schnellen Überblick über eine Unterrichtsstunde verweisen wir auf die kompakten → *Stundenverlaufspläne* im Anhang.

Die Trainingsanleitung ist wie folgt aufgebaut:
- Im ersten Kasten werden die Ziele sowie die Inhalte der jeweiligen Unterrichtsstunde plus Zeitumfang genannt.
- Im zweiten Kasten wird das für die Unterrichtsstunde neu benötigte Material aufgeführt. Jeweils in Klammern ist vermerkt, wo das Material im Anhang bzw. auf CD-ROM zu finden ist. Materialien, die jedes einzelne Kind benötigt, werden als *Klassenset* ausgewiesen. Dazu zäh-

len z.B. die Texte. In unseren eigenen Trainingsstunden hat es sich als praktisch erwiesen, die A4-Materialien vor Stundenbeginn zu lochen. Am Ende einer Unterrichtsstunde können die Kinder ihre Trainingsmaterialien dann problemlos abheften.
- Im dritten Kasten werden die Vorbereitungen beschrieben, die vor Stundenbeginn notwendig sind. Hier werden auch die Materialien aufgeführt, die in früheren Unterrichtsstunden bereits verwendet wurden, wie z.B. der Trainingshefter oder die Gruppenflaggen.
- Anschließend folgt der Stundenverlauf und es werden in *Kursivdruck* Vorschläge zur Moderation der Unterrichtsstunden unterbreitet.
- Erläuterungen, Beispielantworten der Schüler sowie weiterführende Hinweise zur Umsetzung der Inhalte der Unterrichtsstunde bzw. zur Erreichung der Stundenziele ergänzen den Beispielmoderationstext.

3.1 Unterrichtsstunde Nr. 1

Ziele	Inhalte
✓ Wecken der Motivation ✓ Kennenlernen des Strategiebegriffs ✓ Kennenlernen des *Klärens* ✓ Kennenlernen des *Fragens*	1. Vorstellung der Unterrichtseinheit (10 Min.) 2. Klärung des Strategiebegriffs (5 Min.) 3. Einführung in das *Klären* (15 Min.) 4. Einführung in das *Fragen* (15 Min.)

Material

✓ Klassenset Trainingshefter
✓ Karten „Käpt'n Carlo" und „Papagei Einstein" (A2.1–A2.2)
✓ Karte „Lesezeichen" (A3.1)
✓ Klassenset „Lesezeichen" (A3.2)
✓ Karten „Klären" und „Fragen" (A4.1–A4.2)
✓ Klassenset Text „Computerspieleentwickler" (T01)
✓ Text „Computerspieleentwickler" (auf Overhead-Folie oder als Datei)
✓ Folienstift, Lineal, Kreide, Magnete

Vorbereitung

✓ Für jedes Kind wird ein Trainingshefter angelegt, der bereits eine Klarsichthülle (für das Lesezeichen) und den Text „Computerspieleentwickler" enthält.

Stundenverlauf

3.1.1 Vorstellung der Unterrichtseinheit

In den nächsten Wochen werden wir zusammen mit Käpt'n Carlo auf die Reise gehen (→ Karte „Käpt'n Carlo" an die Tafel heften). Ihr fragt euch jetzt vielleicht: Wer ist denn Carlo? Käpt'n Carlo ist ein etwas schusseliger Seefahrer und Entdecker, der mit seinem Papagei Einstein auf einer einsamen Insel gelandet ist (→ Karte „Papagei Einstein" an die Tafel heften). Eigentlich wollte er ganz woanders hin, aber Carlo konnte die Beschreibung, wo die sagenumwobene Schatzinsel zu finden ist, nicht verstehen. Zu seinem Unglück ist er dann auf der falschen Insel gestrandet. Aber er hatte Glück im Unglück, denn diese Insel war ein altes Piratenversteck, sodass er genug zu essen hatte. Eines Tages entdeckte Carlo eine alte verrostete Kiste. Er hatte Mühe, die Kiste zu öffnen, aber dann schaffte er es doch. Er hoffte, Goldstücke und Geschmeide zu finden, aber in der Kiste waren stattdessen ... Bücher! „Bücher! Nichts als Bücher!" schnaubte Carlo. „Was soll

ich denn damit anfangen?" rief er seinem Papageien zu. Einstein war bereits 103 Jahre alt und gehörte schon Carlos Großvater, der wie Carlo ein Seefahrer war. Der Großvater war ein vielbelesener Mann und hatte auch Einstein das Lesen beigebracht. „Wie wäre es denn, wenn wir die Bücher zusammen lesen? Dann wirst du von Tag zu Tag besser und kannst die Beschreibung deiner Schatzinsel bald entziffern!", schlug Einstein vor. „Ganz schön schlau, dieser Papagei!", dachte Carlo. Und so war es abgemacht: Einstein sollte Carlo helfen, ein besserer Leser zu werden. Was glaubt ihr denn, warum ist es wichtig, ein guter Leser zu sein?

Die Kinder antworten auf die Frage. Anschließend fasst die Lehrkraft zusammen:

Texte gut zu verstehen und sich an das Gelesene zu erinnern ist wichtig bei Hausaufgaben und Klassenarbeiten, aber auch zu Hause, fürs Internet, zum Lesen von Zeitschriften, Büchern oder auch Spielregeln. Wisst ihr, warum es manchmal schwer ist, einen Text zu verstehen?

Folgende Punkte sollten von den Kindern genannt und ggf. durch die Lehrkraft ergänzt werden:
- unbekannte Wörter
- schwierige Sätze
- zu wenig Aufmerksamkeit für das, was wir lesen (durch andere Dinge abgelenkt werden).

Beim Lesen darf man sich nicht ablenken lassen. Und manchmal stehen in einem Text auch Wörter, die wir nicht kennen. Oder wir verstehen nicht, was in einer Geschichte geschieht, weil zu viele Sachen auf einmal passieren.

In den nächsten Wochen wollen wir zusammen mit Käpt'n Carlo alle bessere Leser werden. Doch wie soll das gehen? Carlo hat dazu Einstein um Rat gefragt. Und er meint: Um Texte besser zu verstehen, brauchst du Lesestrategien!

Dauer: 10 Minuten

3.1.2 Klärung des Strategiebegriffs

Kennt ihr das Wort „Strategie"? Was ist eine Strategie und wann braucht man Strategien?

Die Kinder antworten.

Eine Strategie ist ein Plan, wie ich am besten vorgehe, um mein Ziel zu erreichen. Welche Strategien kennt ihr?

Die Lehrkraft geht auf die Vorschläge der Kinder ein und nennt selbst Beispiele für Strategien aus dem Alltag (z. B. eine Klassenfahrt planen, sein Zimmer aufräumen, Spiele, bei denen man eine Strategie haben muss, für eine Klassenarbeit lernen, Vokabeln lernen).

*Käpt'n Carlo und ihr werdet vier Lesestrategien kennen lernen, die helfen, einen Text besser zu verstehen (→ **Karte „Lesezeichen"** an die Tafel heften). Die vier Lesestrategien sind Klären, Fragen, Zusammenfassen und Vorhersagen.*

Die → **Lesezeichen** werden ausgeteilt.

Jeder bekommt ein Lesezeichen, das ihr beim Lesen benutzen könnt. Darauf sind die Strategien, die wir lernen werden. Wenn wir lesen, werden wir uns nicht den ganzen Text auf einmal ansehen, sondern immer einen Abschnitt nach dem anderen lesen. Woran erkennt ihr einen Abschnitt?

Die Kinder antworten.

Das erste Wort eines Abschnitts ist oft eingerückt oder die Zeile vor dem neuen Abschnitt ist kürzer als die anderen Zeilen. Bitte schaut genau, wo ein Abschnitt aufhört.

Dauer: 5 Minuten

3.1.3 Einführung in das Klären

*Die erste Strategie heißt Klären (→ **Karte „Klären"** an die Tafel heften). Was stellt ihr euch unter der Strategie Klären vor?*

Die Kinder antworten.

Falls man Wörter in einem Text nicht versteht, muss man herausfinden, was sie bedeuten. Klären heißt also: herausfinden, was ein Wort bedeutet. Dafür kann man überlegen, was man schon zum Thema des Textes weiß. Oft hilft es auch, wenn man den Satz davor und danach noch einmal liest. Oder ihr fragt jemanden, z. B. andere Kinder oder mich. Zu Hause könnt ihr natürlich auch eure Eltern und Geschwister fragen oder im Internet oder in Büchern nachschauen. Also müsst ihr euch immer fragen: Gibt es ein Wort im Text, das ich nicht kenne? Oder habe ich vielleicht einen ganzen Satz nicht verstanden? Oft können wir unbekannte Wörter ganz allein mit Hilfe des Textes klären. Das Klären ohne fremde Hilfe wollen wir besonders üben.

Die Lehrkraft verteilt Trainingshefter an jedes Kind. Im Hefter befindet sich bereits der → **Text „Computerspieleentwickler"**. Der Text wird außerdem per Overhead-Projektor, Beamer o. Ä. gezeigt. Daran führt die Lehrkraft das Anwenden der Strategien vor.

Carlo hat in der Kiste einen Text über die Entwicklung von Computerspielen gefunden. Als erstes nummerieren wir jeden Abschnitt. Ich lese euch den ersten Abschnitt vor. Bitte lest im Text mit. Keiner liest weiter. [Die Lehrkraft liest den ersten Abschnitt vor.]

Ich weiß nicht, was das Wort „Game-Designer" bedeutet. Darum lese ich den Satz vor dem Wort und auch danach. Nun weiß ich, dass das Wort etwas mit Computerspielen und der Entwicklung von Computerspielen zu tun haben muss. Also überlege ich, was ich dazu schon weiß. Ich weiß, was Computer sind. Auf Computern lassen sich Spiele spielen. Game ist doch englisch, das weiß ich. Und übersetzt heißt Game „Spiel". Also heißt Game-Designer „Spiele-Designer". Und Designer – das Wort habe ich auch schon einmal gehört. Mode zum Beispiel wird von Designern entwickelt. Was Designer genau bei Computerspielen machen, weiß ich noch nicht. Das steht vielleicht im nächsten Abschnitt. Aber halt – ich weiß noch etwas über das Wort Game-Designer. Ich finde Hinweise in diesem Textabschnitt. Wenn ich den Satz davor lese, erfahre ich, dass Game-Designer ein Beruf ist. Wenn ich diesen Satz noch einmal lese, dann sehe ich, dass da „Im ersten Schritt" steht. Das bedeutet, dass danach noch Menschen mit anderen Berufen an den Computerspielen arbeiten. Aber die Game-Designer arbeiten als erste daran.

Gibt es noch ein anderes Wort in diesem Abschnitt, das ihr nicht verstanden habt?

Die Kinder sollen nun mit Hilfe der Strategie versuchen, das Wort zu klären. Die Lehrkraft gibt Tipps:

Denkt daran, wie ich das eben gemacht habe. Ich habe gelesen, was in dem Satz vor und nach dem Wort steht. Ich habe selbst versucht, eine Erklärung zu finden.

Wir suchen als erstes also selbst nach Hinweisen im Text. Vielleicht kennen wir ein Teil des Wortes. Erst wenn wir es selbst nicht klären können, bitten wir jemand anderes um Hilfe.

Versucht nun, im nächsten Abschnitt Wörter zu klären. Wir lesen den Abschnitt gemeinsam und dann arbeitet ihr mit eurem Banknachbarn. Unterstreicht mit Bleistift und Lineal alle Wörter in diesem Abschnitt, die ihr klären wollt, und versucht dann herauszufinden, was sie bedeuten.

Anschließend wird die Partnerarbeit kurz reflektiert: *Welche Wörter konntet ihr mit Hilfe des Textes erklären? Gab es ein Wort, das ihr nicht gemeinsam klären konntet?*

Häufig sind scheinbar keine unbekannten Wörter im Text. Dann kann die Lehrkraft danach fragen, welche Wörter jüngere Kinder möglicherweise

noch nicht kennen. Außerdem werden unbekannte Wörter nicht mit Hilfe des Textes geklärt, sondern es wird gleich der Banknachbar um Hilfe gebeten. Dann kann darauf hingewiesen werden, dass man nicht immer andere fragen kann (z. B. bei Klassenarbeiten).

Dauer: 15 Minuten

3.1.4 Einführung in das Fragen

*Die zweite Strategie heißt Fragen (→ **Karte „Fragen"** an die Tafel heften). Könnt ihr euch unter der Strategie Fragen etwas vorstellen?*

Die Kinder antworten.

Es werden solche Fragen zum Text gestellt, die auch ein Lehrer in einem Test stellen könnte. Wir stellen Fragen zu den wichtigen Inhalten des Textabschnitts. Wenn ihr die Strategie Fragen anwendet, überlegt ihr euch also: Was könnte ein Lehrer zu dem Abschnitt fragen? Welche Frage könnte ich jemandem stellen, wenn ich wissen will, ob er den Text verstanden hat? Was glaubt ihr, warum ist Fragen eine gute Lesestrategie?

Die Kinder antworten.

Ja, so können wir überprüfen, ob wir das Gelesene verstanden haben. Außerdem konzentrieren wir uns auf das Wichtige im Abschnitt.

Um den Kindern das Formulieren der Fragen zu erleichtern, kann daran erinnert werden, dass Fragen oft mit W-Wörtern beginnen (wie, wo, warum, was, wer, wann). Die Lehrkraft liest den ersten Abschnitt noch einmal vor und macht die Strategie vor.

Nachdem ich den Abschnitt gelesen habe, überlege ich mir, was hier besonders wichtig ist. Ich könnte also fragen: Mit wem arbeitet der Game-Designer zusammen? Dabei muss ich darauf achten, dass meine Frage mit Hilfe des Abschnitts beantworten werden kann.

Versucht nun gemeinsam mit eurem Banknachbarn weitere Fragen zum zweiten Abschnitt zu finden.

Nach einigen Minuten wird ein Schülerpaar aufgerufen.

Welche Fragen habt ihr euch überlegt? Wie seid ihr auf die Frage gekommen? Weshalb stellt ihr genau diese Frage?

Die Lehrkraft hilft und erklärt, warum eine Frage gut war bzw. eine andere Frage ggf. besser wäre. Dann werden noch andere Paare aufgerufen. Weitere mögliche Fragen sind:

Woran arbeiten die Game-Designer? Was genau arbeitet der Game-Designer? Stimmt es, dass der Game-Designer als letztes an der Entwicklung des Computerspiels arbeitet?

Dauer: 15 Minuten

Jedes Kind heftet den Text in seinen Trainingshefter. Die Lehrkraft beendet die Stunde.

3.2 Unterrichtsstunde Nr. 2

Ziele	Inhalte
✓ Festigen des *Klärens* und *Fragens* ✓ Kennenlernen des *Zusammenfassens* ✓ Kennenlernen des *Vorhersagens*	1. Wiederholung (5 Min.) 2. Einführung in das *Zusammenfassen* (20 Min.) 3. Einführung in das *Vorhersagen* (20 Min.)

Material
✓ Karten „Zusammenfassen" und „Vorhersagen"(A4.3–A4.4) ✓ Karten „Lückentextwörter Tafelbild" (A5) ✓ Folienstift, Lineal

Vorbereitung
✓ Für jedes Kind wird der Trainingshefter bereitgelegt. Er enthält bereits das Lesezeichen und den Text „Computerspieleentwickler". ✓ Karten „Klären" und „Fragen" für die Wiederholung ✓ Text „Computerspieleentwickler" (auf Overhead-Folie oder als Datei)

Stundenverlauf

3.2.1 Wiederholung

Wisst ihr noch, welche Strategien wir in der letzten Stunde kennengelernt haben?

Die Kinder antworten. Die Lehrkraft heftet die Karten „Klären" und „Fragen" an die Tafel.

Was mache ich genau beim Klären? Was mache ich genau beim Fragen?

Klären: Zunächst versuchen, das Wort selbst zu klären; Hinweise aus dem Text suchen; überlegen, ob man etwas zu dem Thema weiß und ob man aus dem Wort etwas ableiten kann. Erst, wenn man allein nicht weiter weiß, andere um Hilfe bitten.

Fragen: Fragen zu wichtigen Inhalten stellen, die sich mit dem Abschnitt beantworten lassen.

Super. Die ersten zwei Lesestrategien habt ihr schon gelernt. Jetzt erkläre ich noch zwei andere Strategien, die helfen, einen Text besser zu verstehen.

Dauer: 5 Minuten

3.2.2 Einführung in das Zusammenfassen

*Die dritte Strategie, die der Papagei Einstein vorgeschlagen hat, heißt Zusammenfassen (→ **Karte „Zusammenfassen"** an die Tafel heften). Wisst ihr, was Zusammenfassen bedeutet?*

Die Kinder antworten.

Eine Zusammenfassung ist kurz und nennt die wichtigsten Dinge mit eigenen Worten. Eine gute Zusammenfassung enthält keine unwichtigen Dinge. Warum ist es denn wichtig, einen Abschnitt zusammenfassen zu können? Wobei könnte euch das helfen?

Wichtige Punkte, die angesprochen werden sollten:

- Ich beschäftige mich noch einmal mit dem, was ich gelesen habe.
- Es hilft, einen Text aufmerksamer zu lesen.
- Ich weiß danach, was in diesem Teil des Textes wichtig war.
- Ich kann dadurch das Wichtigste besser behalten.

- Ich merke, ob ich wirklich alles verstanden habe oder den Abschnitt doch noch einmal lesen muss.

Carlo mault ziemlich herum, als Einstein ihm diese Strategie erklärt. Die Strategie mag ja helfen, sie ist aber viel zu schwer! Einstein sagt, dass es einfacher wird, wenn man sich an zwei Schritte hält. Danach fällt es leichter, einen Abschnitt zusammen zu fassen.

Die Lehrkraft zeigt auf das Tafelbild (→ **Karten „Füllwörter Tafelbild"**). Die Kinder werden aufgefordert, die vorgegebenen Wörter den entsprechenden Lücken zuzuordnen. Hierbei können natürlich auch technische Hilfsmittel (Overhead-Projektor, Whiteboard etc.) eingesetzt werden.

Zusammenfassen

1. Schritt: <u>Nenne</u> die Hauptperson oder Hauptsache!

2. Schritt: Sage, was im Abschnitt über die <u>Hauptperson</u> oder <u>Hauptsache</u> steht.

Fasse das Wichtigste mit <u>eigenen Worten</u> in <u>einem Satz</u> zusammen!

Als erstes benennt ihr die Hauptperson oder die Hauptsache. Dann berichtet ihr, was über die Hauptperson oder die Hauptsache erzählt wird. Erst danach versucht ihr, das Wichtigste in einem einzigen Satz zu sagen. Ihr müsst also immer herausfinden, was das Wichtigste in diesem Abschnitt ist.

Woran könnt ihr denn erkennen, wer die Hauptperson oder die Hauptsache ist?

Die Kinder antworten.

Man kann das daran erkennen, dass der Name der Hauptperson erwähnt wird und beschrieben wird, was die Person macht. Oder eine Sache wird genauer beschrieben. Diese Sache ist dann vielleicht wichtig, um den Abschnitt zu verstehen.

Die Lehrkraft demonstriert anhand des ersten Abschnitts Schritt für Schritt das Zusammenfassen (Die Schüler werden später mit einbezogen). Da-

bei arbeitet die Lehrkraft auf der Overhead-Folie mit Folienstift und Lineal oder am Whiteboard.

Nachdem ich den Abschnitt gelesen habe, überlege ich mir als erstes, wer die Hauptperson ist. Danach schaue ich, was derjenige macht. Ich unterstreiche die wichtigsten Wörter farbig.

Welche Wörter würdet ihr markieren, die euch bei der Zusammenfassung helfen sollen? Wie können wir nun das Wichtigste mit eigenen Worten in einem Satz zusammenfassen?

Die Kinder antworten.

Meine Zusammenfassung lautet: „An der Entwicklung eines Computerspiels arbeiten Menschen mit unterschiedlichen Berufen: Game-Designer, Grafiker und Game-Developer." In dieser Zusammenfassung habe ich alle wichtigen Punkte genannt und die nicht so wichtigen Sachen habe ich einfach weggelassen. Ich habe nicht einfach einen Satz aus dem Text genommen, sondern es mit meinen eigenen Worten beschrieben.

Dann sollen die Kinder paarweise Zusammenfassungen zum zweiten Abschnitt erstellen.

Versucht nun gemeinsam mit eurem Banknachbarn, den zweiten Abschnitt zusammenzufassen. Geht dabei schrittweise vor, so wie es an der Tafel steht.

Anschließend wird ein Pärchen aufgerufen: *Wer ist eurer Meinung nach die Hauptperson? Was macht sie? Wie habt ihr das zusammengefasst?*

Wenn noch Zeit ist, werden noch weitere Pärchen aufgerufen, die ihre Zusammenfassung der Klasse vorstellen. Die Lehrkraft lobt und erklärt, warum die jeweilige Zusammenfassung gut bzw. noch nicht so gut war.

Dauer: 20 Minuten

3.2.3 Einführung in das Vorhersagen

*Die vierte Strategie heißt Vorhersagen (→ **Karte „Vorhersagen"** an die Tafel heften). Könnt ihr euch unter der Strategie Vorhersagen etwas vorstellen?*

Die Kinder antworten.

*Ihr denkt darüber nach, wie der Text weiterge-
hen könnte. Dazu überlegt ihr, was ihr schon gelesen habt und was darin vorkam. Warum ist es
hilfreich, vorherzusagen, wie der Text weitergehen könnte?*

Wichtige Punkte, die angesprochen werden sollten:

- Wenn ich eine Vorhersage treffen will, muss ich
  wissen, was bisher passiert ist. Ich muss den
  Text verstanden haben.
- Ich kann das Gelesene mit meinem Wissen vergleichen und so in einen Zusammenhang brin-
  gen.
- Ich bin während des Lesens aufmerksamer, weil
  ich herausfinden möchte, ob meine Vorhersage
  stimmt.
- Ich frage mich, was ich als nächstes erfahre,
  und beschäftige mich intensiver mit dem Text.

*Es kann sehr verschiedene Vorhersagen geben
für einen Abschnitt, die aber alle wahrscheinlich
sind. Was heißt denn wahrscheinlich?*

Die Kinder antworten.

*Wahrscheinlich heißt, dass das, was ich vorher-
sage, auch wirklich so passieren könnte. Vorhersagen müssen nicht unbedingt wahr werden, so-
lange sie wahrscheinlich sind, ist es eine gute Vorhersage. Was könnte denn wahrscheinlich in einer
Piratengeschichte vorkommen?*

Die Kinder antworten.

*Genau, wahrscheinlich ein Pirat, Papagei, Insel,
Schatzkarte, Schiff etc. Eine Vorhersage, die damit zu tun hat, wäre also eine gute Vorhersage.
Eine unwahrscheinliche Vorhersage wäre, dass
ein Motorrad oder ein Alien in der Geschichte
vorkommen. Ihr müsst euch immer fragen: Was
könnte als nächstes passieren? Wie könnte denn
der Text über die Entwickler für Computerspiele
weitergehen? Warum?*

Die Kinder antworten und sollen erklären, was ihre
Vorhersage wahrscheinlich macht. Im Anschluss
äußert die Lehrkraft ihre eigene Vorhersage.

*Meine Vorhersage für den dritten Abschnitt lau-
tet so: Wir haben im zweiten Abschnitt etwas über
den Game-Designer erfahren. Aus dem ersten Abschnitt wissen wir, dass es Menschen mit mehre-
ren Berufen gibt, die an der Erstellung eines Computerspiels mitarbeiten. Der letzte Satz im zweiten
Abschnitt deutet schon an, wie es weitergehen
könnte: Bestimmt wird im folgenden Text etwas
darüber gesagt, woran konkret die Grafiker und
die Game-Developer arbeiten.*

Nun liest ein Kind den dritten Abschnitt vor und
es wird überprüft, ob die Vorhersage zutreffend
war. Anschließend formulieren die Kinder Vorhersagen für den vierten Abschnitt und überprüfen erneut, ob die Vorhersage zutraf.

Dauer: 20 Minuten

Jedes Kind heftet den Text in seinen Trainingshefter. Die Lehrkraft beendet die Stunde.

3.3 Unterrichtsstunde Nr. 3

Ziele	Inhalte
✓ Festigen des Lesestrategiewissens ✓ Festigen des Strategieablaufs ✓ Bilden der Lesegruppen	1. Wiederholung der Lesestrategien (15 Min.) 2. Anwendung der Lesestrategien (20 Min.) 3. Malen der Flaggen (10 Min.)

Material
✓ Klassenset Arbeitsblatt „Unsere vier Lesestrategien" (A6.1) ✓ Lösungsblatt zu „Unsere vier Lesestrategien" (A6.2) ✓ Klassenset Text „Seepferdchen in Seenot" (T02) ✓ Text „Seepferdchen in Seenot" (auf Overhead-Folie oder als Datei) ✓ für jede Gruppe eine Gruppenflagge (A7)

Vorbereitung
✓ Für jedes Kind wird der Trainingshefter bereitgelegt. Er enthält bereits das Lesezeichen und den Text „Computerspieleentwickler". ✓ Karten „Klären", „Fragen", „Zusammenfassen" und „Vorhersagen" zur Wiederholung bereitlegen ✓ Die Kinder arbeiten ab dieser Stunde in leistungsheterogenen Lesegruppen. Die Gruppen werden von der Lehrkraft zusammengestellt und bestehen aus vier bis sechs Schülern. In jeder Gruppe sollten zudem Jungen und Mädchen bzw. Kinder mit und ohne Migrationshintergrund lernen. Die Gruppen werden in der gleichen Zusammensetzung auch in den Folgestunden miteinander arbeiten.

Stundenverlauf

3.3.1 Wiederholung der Lesestrategien

Welche vier Strategien haben wir kennengelernt? Worauf achtet ihr, wenn ihr die Strategien nutzt?

Die Lehrkraft heftet die Karten der vier Lesestrategien an die Tafel.

Klären: Zunächst versuchen, das Wort selbst zu klären; Hinweise im Abschnitt suchen; nachdenken, ob man aus dem Wort etwas ableiten kann. Dann überlegen, ob man etwas zum Thema weiß und erst andere um Hilfe bitten, wenn man allein nicht weiter weiß.

Fragen: Es werden Fragen zum Abschnitt gestellt, die eine Lehrkraft in einem Test stellen könnte. W-Fragewörter nutzen. Es werden Fragen über wichtige Inhalte gestellt. Sie müssen mit dem Text zu beantworten sein.

Zusammenfassen: Die Hauptperson oder Hauptsache nennen. Überlegen, was über die Hauptperson oder Hauptsache gesagt wird. Das Wichtigste in eigenen Worten in einem Satz sagen.

Vorhersagen: Überlegen, was im nächsten Abschnitt stehen könnte. Es werden wahrscheinliche Vorhersagen getroffen.

Nach einigen Antworten teilt die Lehrkraft das → *Arbeitsblatt „Unsere vier Lesestrategien"* aus. Gemeinsam wird das Arbeitsblatt Schritt für Schritt ausgefüllt. Die Lehrkraft schreibt auf Folie mit (→ *Lösungsblatt „Unsere vier Lesestrategien"*) und fragt nach, warum die jeweilige Strategie so nützlich ist.

Das richtige Nutzen der Strategien ist wichtig. Deshalb wollen wir ein Merkblatt dazu ausfüllen. Auf dem Merkblatt steht, was wir bei jeder Strategie tun.

Dauer: 15 Minuten

3.3.2 Anwendung der Lesestrategien

Die Lehrkraft verteilt den → ***Text „Seepferdchen in Seenot"*** an jedes Kind.

*Wir lesen nun gemeinsam den ersten Abschnitt unseres neuen Texts. Der Text heißt **Seepferdchen in Seenot**. Ich lese vor und ihr lest leise mit. [Alternative: ein Kind liest vor.]*

Die Lehrkraft oder ein Kind liest.

Zuerst klären wir unbekannte Wörter. Gibt es Wörter, die ihr nicht verstanden habt?

Die Kinder antworten.

Wer findet eine Frage zu dem Abschnitt? Wer hat eine andere Frage?

Die Kinder antworten.

Nun fassen wir den Abschnitt zusammen. Gibt es eine Hauptperson oder Hauptsache? Was passiert Wichtiges? Welche Wörter würdet ihr markieren, die euch bei der Zusammenfassung helfen sollen?

Die Lehrkraft unterstreicht auf der Overhead-Folie oder am Whiteboard die wichtigsten Wörter.

Wie können wir das in einem Satz sagen? Wie könnte der Text weiter gehen?

Die Kinder antworten.

Prima gemacht! So funktioniert das. Wer liest uns den zweiten Abschnitt vor?

Ein Kind liest vor. Alle anderen lesen leise mit. Danach werden wieder alle vier Strategien angewendet. Die Lehrkraft gibt so viele Hinweise wie nötig.

Welche Strategie kommt nach dem Lesen als erstes?

Die Lehrkraft lässt unbekannte Wörter klären. Die Kinder formulieren Fragen und die Lehrkraft gibt Rückmeldung, z. B. zum Schwierigkeitsgrad der Frage. Dann wird der Abschnitt gemeinsam zusammengefasst. Die Lehrkraft weist auf die Schritte hin und gibt erneut Rückmeldung. Schließlich werden Vorhersagen formuliert.

Dauer: 20 Minuten

3.3.3 Malen der Flaggen

Carlo und ihr habt nun alle vier Lesestrategien kennengelernt. „Toll", denkt Carlo, „dann kann ich jetzt endlich die Beschreibung meiner Schatzinsel entziffern und sofort lossegeln." Er packt seine Sachen und will los. „STOP", ruft Einstein so laut er kann. „Wo willst du denn hin? Bevor du tatsächlich besser lesen kannst und deine Schatzinselbeschreibung entziffern wirst, musst du deine Strategien üben! Dafür findest du in der Kiste die tollsten Texte!"

Genau wie Carlo wollen wir die Strategien in den nächsten Stunden üben und zwar in Gruppen. Ich habe mir überlegt, wer zusammen in einer Gruppe arbeiten wird. Wir stellen jetzt erst Gruppentische zusammen und dann sage ich euch, wer wo sitzt.

Es werden Gruppentische gestellt und die Lehrkraft liest vor, wer in einer Gruppe ist. Anschließend gibt sich jede Gruppe selbst einen Namen und bastelt eine Flagge (siehe Kapitel 1).

*Die erste Aufgabe für jede Gruppe ist es, sich einen Namen für die Gruppe zu überlegen und eine → **Gruppenflagge** zu gestalten. Überlegt mal, ob es etwas gibt, was alle in eurer Gruppe mögen, also z. B. ein Hobby oder ein Lieblingsessen. Das sollte sich in eurem Namen und auf eurer Flagge wieder finden. Die Flaggen werden zu Beginn jeder Unterrichtsstunde auf den Tischen stehen, damit ihr wisst, an welchem Tisch ihr mit eurer Gruppe sitzt. Ihr habt nun bis zum Stundenende Zeit, eure Flagge zu gestalten und* *euch einen Namen zu überlegen. Am Anfang der nächsten Stunde wird jede Gruppe ihre Flagge vorstellen.*

Dauer: 10 Minuten

Am Ende der Stunde werden die Flaggen eingesammelt. Jedes Kind heftet den Text in seinen Trainingshefter. Die Lehrkraft beendet die Stunde.

3.4 Unterrichtsstunde Nr. 4

Ziele	Inhalte
✓ Stärkung der Gruppenidentität ✓ Kennenlernen der Aufgaben der Lesegruppe ✓ Vertraut werden mit dem Geben von Rückmeldungen	1. Vorstellung der Gruppenflaggen (10 Min.) 2. Einführung in die Arbeit mit dem Logbuch (25 Min.) 3. Wie gibt man Rückmeldung als Gruppenkapitän? (10 Min.)

Material
✓ für jede Gruppe ein Logbuch (A8) ✓ Logbuch (auf Folie)

Vorbereitung
✓ Für jedes Kind wird der Trainingshefter bereitgelegt. Er enthält bereits das Lesezeichen und die Texte „Computerspieleentwickler" und „Seepferdchen in Seenot". ✓ Auf den Gruppentischen stehen die Flaggen. Die Kinder setzen sich an ihre Gruppentische.

Stundenverlauf

3.4.1 Vorstellung der Gruppenflaggen

Jeder hat seinen Tisch mit der richtigen Gruppenflagge gefunden. Welche Gruppe möchte uns als erstes ihre Flagge vorstellen?

Die Gruppen stellen nacheinander ihre Flaggen vor.

Dauer: 10 Minuten

3.4.2 Einführung in die Arbeit mit dem Logbuch

Wenn wir die Lesestrategien üben, werdet ihr immer in euren Gruppen arbeiten. Eine Gruppe ist wie eine kleine Crew auf einem Schiff. Und was gehört zu jedem Schiff?

Die Kinder antworten.

Richtig! Ein Kapitän. Er weiß besonders gut Bescheid und sagt den anderen Crewmitgliedern, was zu tun ist. In eurer Gruppe wird jedes Gruppenmitglied mal die Verantwortung für die Gruppe

übernehmen. Dieses Kind ist dann der Gruppenkapitän. Der Rest der Gruppe ist die Crew.

Der Gruppenkapitän ist für die Aufgabenverteilung verantwortlich. Wie ein echter Kapitän entscheidet er, welche Aufgaben die anderen aus der Gruppe übernehmen. Danach sagt er, was gut war und was noch besser werden kann. Der Gruppenkapitän muss beim Lesen darauf achten, dass alle anderen Gruppenmitglieder aufmerksam sind und jeder die Lesestrategien üben kann.

Die anderen Gruppenmitglieder, also die Crew, achten darauf, was ihr Gruppenkapitän sagt und machen mit, so gut sie können. Wenn einer aus der Gruppe eine Lesestrategie anwenden möchte, dann meldet er sich, damit der Gruppenkapitän ihn drannehmen kann.

Lasst uns gemeinsam wiederholen: Was macht der Gruppenkapitän, was macht die Crew?

Die Kinder antworten.

*Für jeden Abschnitt wird ein anderes Kind der Gruppenkapitän sein. Am Anfang ist es gar nicht so leicht, Gruppenkapitän zu sein. Aber es gibt eine Hilfe, nämlich das → **Logbuch**. Wisst ihr was ein Logbuch ist?*

Die Kinder antworten.

In eurem Logbuch steht alles Wichtige für eure Gruppe und ihr könnt nachschauen, was eure Aufgaben sind, wenn ihr Gruppenkapitän seid. Lasst uns das Logbuch gemeinsam anschauen.

Die Lehrkraft zeigt das Logbuch auf Folie.

Hier steht die erste Aufgabe des Gruppenkapitäns: „Suche ein Mitglied deiner Gruppe aus, das den Abschnitt vorliest!" Danach sagt er dem Kind, ob es gut gelesen hat und was es noch besser machen kann. Dann kommen die Strategien: Als erstes seht ihr hier ganz links „Klären". Dort steht, was ihr beim Klären sagen könnt und wie ihr helfen könnt, wenn eure Gruppe nicht genau weiß, wie die Strategie Klären funktioniert. Zum Schluss steht immer: Was war gut? Was geht noch besser? Dann kommen die Strategien Fragen, Zusammenfassen und Vorhersagen. Wir wollen das jetzt gemeinsam üben. Zum Schluss darf der Gruppenkapitän bestimmen, welches Gruppenmitglied der nächste Kapitän ist. Er gibt dem neuen Kapitän dann das Logbuch.

Die Lehrkraft bittet die Kinder den → *Text „Seepferdchen in Seenot"* der letzten Stunde aufzuschlagen.

In der letzten Stunde haben wir die ersten beiden Abschnitte geschafft. Jetzt kommt der Dritte. Ich bestimme den ersten Gruppenkapitän und bin dann seine Assistentin.

Die Lehrkraft fragt ein leistungsstärkeres Kind, ob es Gruppenkapitän sein möchte.

Lieber Gruppenkapitän [Schülername]! Was sagst du als erstes zu deiner Crew? („Wer möchte den Abschnitt vorlesen?")

Nach dem Lesen: *„Was sagst du zum Vorleser?"* (*„Danke, das hast du gut gelesen".* Beispielrückmeldung: *„Die Betonung war schon gut, du könntest aber etwas deutlicher lesen.")*

Lieber Gruppenkapitän, wie geht es jetzt weiter?

Die Lehrkraft unterstützt wenn nötig. Insbesondere sollte darauf geachtet werden, dass sich die Rückmeldungen des Gruppenkapitäns auf die Kriterien der jeweiligen Strategie beziehen (z. B. Zusammenfassen: Es war gut, dass das Wichtigste genannt wurde, aber die Zusammenfassung geht noch kürzer.).

Danach bestimmt die Lehrkraft ein anderes Kind, das in die Rolle des Gruppenkapitäns schlüpft und es wird der vierte Abschnitt mit Hilfe der Strategien gelesen.

So wie ich unseren beiden Kapitänen geholfen habe, können natürlich auch die anderen Gruppenmitglieder ihrem Gruppenkapitän helfen, wenn er selbst mal nicht weiter weiß.

*Das → **Logbuch** bekommt ihr am Anfang jeder Stunde. Am Ende der Stunde, wenn ihr den Text gelesen habt, sammeln wir die Logbücher wieder ein.*

Dauer: 25 Minuten

3.4.3 Wie gibt man Rückmeldungen als Gruppenkapitän?

Der Gruppenkapitän hat die wichtige Aufgabe, den anderen zu helfen. Er sagt, was ein Kind gut gemacht hat und was es noch besser machen kann. Deswegen wollen wir zusammen überlegen, was ihr als Gruppenkapitän sagen könnt.

Ich bin jetzt mal ein Kind, das eine Strategie angewendet hat, und ihr sagt mir, was ihr als Gruppenkapitän antworten würdet!

1. Beispiel: Ich kenne ein Wort nicht und habe sofort gefragt, wer mir das erklärt. Was würdet ihr mir dann sagen?

Die Kinder antworten. Die Lehrkraft kommentiert die Rückmeldungen und geht dabei auf das Logbuch ein.

2. Beispiel: Und wenn ich versucht habe, mir das Wort selber zu erklären, es aber nicht ganz geschafft habe, sondern nur einen Teil des Wortes? Was könnte man für Rückmeldungen geben?

Die Kinder antworten. Die Lehrkraft kommentiert die Rückmeldungen und geht dabei auf das Logbuch ein.

3. Beispiel: Stellt euch vor, ich formuliere zu dem Text, den wir gelesen haben eine ganz leicht zu beantwortende Frage, was würdet Ihr dann sagen?

Die Kinder antworten. Die Lehrkraft kommentiert die Rückmeldungen und geht dabei auf das Logbuch ein.

4. Beispiel: Und bei einer Zusammenfassung, was könnte ich da sagen? Nehmen wir an, meine Zusammenfassung war ok, aber genauso lang wie der Abschnitt, was sagt ihr dann?

Die Kinder antworten. Die Lehrkraft kommentiert die Rückmeldungen und geht dabei auf das Logbuch ein.

5. Beispiel: Und als letztes kommt die Vorhersage. Was würdet ihr zu einer unwahrscheinlichen Vorhersage sagen? Und wenn ich etwas erzähle, das schon im vorhergehenden Textabschnitt vorkam? Und wenn ich viele Ideen äußere und die alle wahrscheinlich sind?

Die Kinder antworten. Die Lehrkraft kommentiert die Rückmeldungen und geht dabei auf das Logbuch ein.

Wir merken uns: Als Gruppenkapitän sagt man seinem Gruppenmitglied immer eine Sache, die es gut gemacht hat, und eine Sache, die es besser machen kann.

Dauer: 10 Minuten

Am Ende der Stunde werden die Flaggen und Logbücher eingesammelt. Jedes Kind heftet den Text in seinen Trainingshefter. Die Lehrkraft beendet die Stunde.

3.5 Unterrichtsstunde Nr. 5

Ziele	Inhalte
✓ Festigen des Wissens über die Aufgaben des Gruppenkapitäns ✓ Festigen des Ablaufs beim reziproken Lehren ✓ Kennenlernen von Strategiezielen	1. Wiederholen der Aufgaben des Gruppenkapitäns (5 Min.) 2. Üben in den Lesegruppen (20 Min.) 3. Einführung in das Setzen von Lesestrategiezielen (20 Min.)

Material
✓ Klassenset Text „Der Champion unter den Schlittenhunden" (T03) ✓ Plakatbausteine „Unsere Lesestrategieziele" (A9)

Vorbereitung
✓ Für jedes Kind wird der Trainingshefter bereitgelegt. Er enthält bereits das Lesezeichen und die Texte der früheren Stunden. ✓ Auf den Gruppentischen stehen die Flaggen. Die Kinder setzen sich an ihre Gruppentische. ✓ Für jede Gruppe liegt ein Logbuch bereit. Sie werden im Verlauf der Stunde ausgeteilt. ✓ Die Lehrkraft legt fest, wer in jeder Gruppe als erstes die Rolle des Gruppenkapitäns übernimmt. In der Regel sollte dies ein leistungsstärkeres Mitglied der Gruppe sein.

Stundenverlauf

3.5.1 Wiederholen der Aufgaben des Gruppenkapitäns

Welche Aufgaben hat der Gruppenkapitän? Was haben wir über die Rückmeldungen des Gruppenkapitäns gelernt?

Die Kinder antworten. Folgendes sollte zusammengetragen werden:

- Er bestimmt, welches Kind vorliest und gibt Rückmeldung dazu.
- Er fragt, wer die jeweilige Strategie anwenden möchte, hilft ggf. und gibt Rückmeldung.
- Er lobt, wenn eine Lesestrategie richtig angewendet wurde und sagt aber auch, was noch verbessert werden kann.
- Er darf sich von den anderen Gruppenmitgliedern oder von der Lehrkraft helfen lassen.

Fehlende Punkte werden von der Lehrkraft ergänzt.

Außerdem sollte Folgendes betont werden:

- Wenn ein Gruppenmitglied eine Lesestrategie anwendet, achten alle anderen darauf, ob die Strategie richtig genutzt wird.
- Macht ein Gruppenmitglied einen Fehler, so darf es sich korrigieren, bevor ein anderes Gruppenmitglied es versucht. Der Gruppenkapitän bittet das Kind dann, noch einmal über seine Antwort nachzudenken oder fragt, ob ihm noch etwas anderes einfällt.

Dauer: 5 Minuten

3.5.2 Üben in den Lesegruppen

Die Kinder sollen nun zum ersten Mal selbstständig die Lesestrategien in ihrer Lesegruppe üben. In dieser Phase erhält jedes Kind den → *Text „Der Champion unter den Schlittenhunden".*

Die Lehrkraft bestimmt in jeder Gruppe den ersten Gruppenkapitän und die Materialien werden verteilt.

Jetzt dürft ihr die Strategien in euren Gruppen üben. Dazu bekommt jede Gruppe ein Logbuch und den Text. In eurer Gruppe ist [die Lehrkraft benennt jeweils ein Kind aus der Gruppe] zuerst der Gruppenkapitän. Liebe Gruppenkapitäne, bitte holt die Materialien für eure Gruppen ab.

Was ist nun die erste Aufgabe des Gruppenkapitäns? Richtig, er bestimmt ein Gruppenmitglied, das den ersten Abschnitt vorliest. Dann werden alle weiteren Aufgaben auf dem Logbuch bearbeitet. Wenn ihr mit diesem Abschnitt fertig seid, bestimmt der erste Gruppenkapitän den nächsten Gruppenkapitän und so weiter. Das Logbuch wird immer an den neuen Gruppenkapitän weitergereicht und wieder werden alle vier Aufgaben auf dem Logbuch bearbeitet. Los geht's!

Die Kinder lesen in ihren Gruppen. Die Lehrkraft geht von Gruppe zu Gruppe, achtet auf den richtigen Ablauf, insbesondere auf die Rückmeldungen, die der Gruppenkapitän gibt, und hilft gegebenenfalls.

Nach ca. 15 Minuten wird die Gruppenarbeit beendet und der Ablauf reflektiert.

Haben das Lesen und das Arbeiten mit den Strategien in eurer Gruppe geklappt? Wart ihr zufrieden mit euren Gruppenkapitänen?

Dauer: 20 Minuten

3.5.3 Einführung in das Setzen von Lesestrategiezielen

Das hat schon gut geklappt. Ich möchte mit euch im letzten Teil der Stunde besprechen, wie wir uns Ziele zu unseren Lesestrategien setzen wollen. Denn man lernt besser, wenn man sich für jede Stunde ein Ziel setzt. Ihr kennt bestimmt alle Situationen, in denen ihr euch anstrengen müsst, um etwas zu erreichen oder um besser zu werden. Was für Ziele kann man sich denn stecken?

Die Lehrkraft leitet dazu hin, dass es ganz unterschiedliche Ziele geben kann: kurzfristige, langfristige, leichte, schwierige.

Stellt euch vor, ihr wollt mit dem Fahrrad von Berlin nach Hamburg fahren. Normalerweise braucht man dafür vier Tage. Ich sage euch jetzt mal drei Ziele, die man sich vornehmen könnte und wir sprechen darüber, was daran gut oder nicht so gut sein könnte.

1) Man nimmt sich vor, an einem Tag die ganze Strecke zu fahren.

Die Kinder antworten. Die Lehrkraft ergänzt: *Das ist ein sehr schweres Ziel. Kann zwar motivieren, aber was passiert, wenn man es nicht erreicht? Wie fühlt man sich dann?*

Die Kinder antworten.

2) Man nimmt sich vor, jeden Tag so viel Fahrrad zu fahren, wie man Kraft hat und jeden Tag ein bisschen mehr zu schaffen, so dass man in vier Tagen da ist.

Die Kinder antworten. Die Lehrkraft ergänzt: *Das ist ein passendes Ziel. Das Wichtigste ist immer, sein Bestes zu geben und so viel zu erreichen, wie möglich ist. Wie würde man sich fühlen, wenn man das Ziel erreicht hat?*

Die Kinder antworten.

3) Man nimmt sich vor, nur zu fahren, wenn man Lust dazu hat.

Die Kinder antworten. Die Lehrkraft ergänzt: *Das ist ein sehr leichtes Ziel. Muss man sich dafür anstrengen? Wie fühlt man sich dann, wenn man das erreicht hat?*

Die Kinder sollen erkennen, dass man sich am besten fühlt, wenn man ein Ziel erreicht hat, für das man sich anstrengen musste. Anschließend wird das Plakat „Unsere Lesestrategieziele" aus den → **Plakatbausteinen** erstellt.

Wir wollen uns beim Lesen auch Ziele setzen, genauso wie Käpt'n Carlo. Carlos erstes Ziel lautet: „Ich will ein Wort klären". Das ist ein sehr leichtes Ziel. Carlo hat auch schwierige Ziele, für die er sich wirklich anstrengen muss, wie z. B. „Ich will ein Wort allein mit Hilfe des Textes klären." Oder: „Ich will zu jedem Abschnitt zwei gute Fragen stellen." Fallen euch noch weitere Ziele ein?

Die Kinder überlegen gemeinsam mit der Lehrkraft, was mögliche Ziele sind. Die Lehrkraft kommentiert, ob das jeweils genannte ein eher leichtes oder schwieriges Ziel ist, und sie achtet darauf, dass nur Strategieziele formuliert werden (und keine Ziele bezogen auf die Kapitänsrolle oder bzgl. der Arbeit in den Gruppen). Sie notiert die Ziele in den Sprechblasen. Dabei sollten maximal zwei unterschiedliche Strategien in einer Sprechblase aufgeschrieben werden. Ein fertiges Plakat könnte wie folgt aussehen:

Abbildung 8: Beispiel-Plakat

Außerdem hat sich Einstein für jeden Text ein kurzes Quiz überlegt, damit er sehen kann, ob Carlo schon ein besserer Leser geworden ist. Ich finde, das ist eine gute Idee. Wir werden also auch am Stundenende immer ein kleines Quiz veranstalten. Lasst euch überraschen, nächste Stunde geht es los!

Dauer: 20 Minuten

Am Ende der Stunde werden die Flaggen und Logbücher eingesammelt. Jedes Kind heftet den Text in seinen Trainingshefter. Die Lehrkraft beendet die Stunde.

3.6 Unterrichtsstunde Nr. 6

Ziele	Inhalte
✓ Festlegen eigener Ziele ✓ Erschließen des Textes ✓ Strategie-Ergebnisbewertung	1. Textauswahl und Ziele setzen (10 Min.) 2. Kleingruppenarbeit (25 Min.) 3. Quiz und Reflexion (10 Min.)

Material
✓ je ein Klassenset für die Texte „Eichhörnchen: Bald nur noch Graupelzer?" (T04), „Von Beruf Polizist" (T05) und „Einheitsracht in der Schule?" (T06) ✓ Klassenset Quizfragen (QF04–06) ✓ für jede Gruppe eine Quizlösung (QL04–06) ✓ Klassenset „Lesetagebuch" (A10)

Vorbereitung
✓ Für jedes Kind wird der Trainingshefter bereitgelegt. Er enthält bereits die früheren Materialien. ✓ Auf den Gruppentischen stehen die Flaggen. Die Kinder setzen sich an ihre Gruppentische. ✓ Die Logbücher werden im Verlauf der Stunde ausgeteilt.

Stundenverlauf

3.6.1 Textauswahl und Ziele setzen

Ich habe euch heute drei Texte aus Carlos Kiste mitgebracht. Jede Gruppe sucht sich aus, welchen Text sie lesen möchte. Die Überschrift des ersten Textes heißt „Eichhörnchen: Bald nur noch Graupelzer?". Was wird vielleicht in diesem Text stehen?

Die Kinder treffen ein bis zwei Vorhersagen. Dann wird die Anwendung der Strategie *Vorhersagen* im Plenum anhand der Überschrift des zweiten und dritten Textes wiederholt. Anschließend sollen die Kinder in den Gruppen festlegen, welchen Text sie heute lesen wollen.

Welche Gruppe möchte welchen Text lesen?

Jede Gruppe einigt sich auf einen Text.

Als nächstes setzen wir uns unsere Ziele. Dazu bekommt jeder ein Lesetagebuch.

Die Lehrkraft verteilt die → *Lesetagebücher*.

Tragt zuerst auf dem Deckblatt euren Namen und die Klasse ein. Blättert um. Auf der nächsten Seite notiert ihr das heutige Datum. Auf dieser Seite könnt ihr drei Sachen sehen: Ihr seht eine Schatzinsel, die euer Ziel ist, da wollt ihr ankommen. Und deswegen tragt ihr dort auch ein, wie viele Punkte ihr im Lesequiz am Ende der Stunde erreichen wollt. Heute könnt ihr höchstens drei Punkte schaffen. Carlo denkt, dass er im ersten Quiz einen Punkt schaffen wird. Da er noch nicht weiß, wie schwer das Quiz ist, nimmt er sich lieber noch nicht so viel vor. Tragt nun euer Quizziel ein. [Schülername], was hast du dir vorgenommen?

Die Lehrkraft kommentiert kurz die Zielsetzung (zu leicht, angemessen, zu schwierig).

Dann seht ihr noch, dass der Wind in die Richtung der Schatzinsel bläst. Er steht für die Hilfe, die ihr in eurer Gruppe bekommt. Aber das Wichtigste seid ihr selbst und ihr seid auf dem Boot. Ihr entscheidet, wie ihr am besten mit Hilfe des

Windes zur Schatzinsel gelangt. Also sollt ihr am Boot eintragen, was ihr euch für heute vornehmt, um euer Quizziel zu erreichen. Überlegt euch, was euch helfen kann, den Text gut zu verstehen und damit viele Punkte im Quiz zu sammeln. Denkt dabei an die Lesestrategieziele, über die wir letzte Stunde gesprochen haben. Carlo will z. B. in jedem Abschnitt auf unbekannte Wörter achten. [Schülername], was hast du dir vorgenommen?

Die Lehrkraft kommentiert erneut die Zielsetzung.

Dauer: 10 Minuten

3.6.2 Kleingruppenarbeit

Die Lehrkraft bestimmt die Gruppenkapitäne und die → *Logbücher* und → *Texte* werden abgeholt bzw. verteilt.

Ich bestimme nun in jeder Gruppe den ersten Gruppenkapitän. Liebe Gruppenkapitäne, holt euch jetzt die Texte und Logbücher bei mir ab.

Es werden noch einmal kurz die bevorstehenden Aufgaben besprochen.

Was ist die nun die Aufgabe des Gruppenkapitäns? Richtig, er bestimmt ein Gruppenmitglied, das den Abschnitt vorliest. Wenn ihr Fragen habt,

dann meldet euch und ich komme zu euch. Bitte denkt daran, dass für jeden Abschnitt jemand anderes der Gruppenkapitän ist. Los geht's!

Die Lehrkraft verfolgt die Kleingruppenarbeit und greift ein, wenn nötig. Wichtig ist, darauf zu achten, dass die Gruppen alle Strategien auf jeden Abschnitt anwenden. Typische Verhaltensweisen der Kinder und mögliche Reaktionen der Lehrkraft sind in Tabelle 3 dargestellt.

Je nach Gelingen der Gruppenarbeit können die Gruppen nach dem ersten oder nach jedem Abschnitt gestoppt werden, um über mögliche Schwierigkeiten zu sprechen. Es sollte eine kurze Rückmeldung zur bisherigen Anwendung der Strategien gegeben werden. So werden die Kinder langsam an das Arbeiten in der Gruppe herangeführt.

Dauer: 25 Minuten

3.6.3 Quiz und Reflexion

Aufgepasst, jetzt kommt unser erstes Quiz! Legt dazu bitte euren Text weg. Jeder bekommt ein Blatt mit den Quizfragen. Ihr habt nun kurz Zeit, die Fragen ganz allein zu beantworten. Jeder beantwortet die Fragen zu seinem Text.

Die Lehrkraft verteilt die → *Quizfragen*.

Tabelle 3: Typische Verhaltensweisen und mögliche Reaktionen

Verhalten der Kinder	Reaktionen der Lehrkraft
Es gibt nichts zu klären.	Nachfragen, was ein schwieriges Wort bedeutet. Die Kinder bemerken dann, dass sie es doch hätten klären sollen. Hilfestellung: Welches Wort versteht ein jüngeres Kind nicht, welche Hinweise findet es im Text?
Es wird zu einfachen Details oder „Was ist das Wichtigste?" gefragt.	Die Kinder ermutigen, schwierige, bspw. Warum-Fragen zu stellen. Die Kinder sollen sich vorstellen, selbst die Lehrkraft zu sein.
Die Zusammenfassung ist zu lang.	Die Kinder ermuntern, höchstens fünf wichtige Wörter im Abschnitt zu markieren und daraus einen kurzen Satz mit eigenen Worten zu bilden.
Im letzten Abschnitt wird keine Vorhersage getroffen.	Die Kinder darauf hinweisen, dass der Text noch weitergehen könnte oder es sich um einen Auszug aus einem Sachbuch handeln könnte und eine Vorhersage damit möglich ist.

Wenn die Kinder fertig sind, holt der jeweils letzte Gruppenkapitän das Quizlösungsblatt von der Lehrkraft ab und die Schüler vergleichen ihre Antworten selbstständig in der Kleingruppe. Alternativ nennt die Lehrkraft nacheinander zu jedem der drei Quizze die richtigen Antworten und die Kinder vergleichen.

Kontrolliert jetzt eure Antworten und zählt, wie viele Punkte ihr geschafft habt. Für jede richtige Antwort gibt es einen Punkt.

Tragt in euer Lesetagebuch ein, wie viele Punkte ihr geschafft habt. Habt ihr euer Quizziel erreicht? Wenn ja, kreuzt das lachende Gesicht an. Wenn ihr weniger Punkte hattet als ihr euch vorgenommen habt, kreuzt das traurige Gesicht an. Die letzten beiden Fragen helfen euch dabei, nachzudenken, wie ihr noch besser werden könnt. Ihr wisst ja, dass die Strategien euch dabei helfen, Texte besser zu verstehen. Wenn ihr also darüber nachdenkt, wie ihr zu eurem Quizergebnis gekommen seid, müsst ihr auch über die Strategien nachdenken.

Kreuzt an, welche Strategien ihr überhaupt angewendet habt und überlegt, welche Strategien ihr noch üben solltet.

Die Kinder füllen das → **Lesetagebuch** aus. Die Lehrkraft befragt einige Kinder zu ihren Einträgen.

Beispiel 1: Wie viele Punkte hast du dir vorgenommen [Schülername]? Und wie viele hast du geschafft? Super! Du hast dein Ziel erreicht. Was meinst du, warum konntest du dein Quizziel erreichen? Was war denn heute dein Lesestrategieziel? Und konntest du die Strategien üben? Dann kannst du dir für die nächste Runde ruhig ein schwierigeres Ziel setzen!

Beispiel 2: Wie viele Punkte hast du dir vorgenommen [Schülername]? Und wie viele hast du geschafft? Das hat ja heute noch nicht geklappt. Was meinst du, woran hat das gelegen? Was war denn heute dein Lesestrategieziel? Und konntest

du die Strategie üben? Versuch es in der nächsten Runde noch einmal! Übung macht den Meister!

Bei der Auswertung geht es darum, den Zusammenhang zwischen Anstrengung und Strategieanwendung sowie zwischen Strategieanwendung und Quizleistung herauszustellen: Wenn ich mich anstrenge, kann ich die Strategien gut anwenden und wenn ich die Strategien anwende, kann ich den Text gut verstehen. Wenn ich den Text gut verstanden habe, kann ich auch die Quizfragen richtig beantworten. Die Kinder sollten immer wieder auf diese Verknüpfungen hingewiesen werden. Solche Möglichkeiten können sich z. B. beim Auswerten der Quizze ergeben. Ein Kind kann z. B. eine Quizfrage nicht richtig beantworten, weil es ein wichtiges Wort nicht versteht (d. h., die Strategie Klären wurde nicht vollständig angewendet).

Abschließend lobt die Lehrkraft einzelne Schüler, die ihr besonders positiv aufgefallen sind (entweder bezogen auf die Anwendung einer Strategie oder bezogen auf besonders gute Gruppenarbeit). Falls es in einer Gruppe Schwierigkeiten gab, bittet die Lehrkraft Mitglieder einer Gruppe, bei der die Gruppenarbeit schon gut funktioniert hat, zu beschreiben, weshalb es bei ihnen gut voranging. Die Gruppe, die noch Schwierigkeiten hatte, soll beschreiben, worin diese Schwierigkeiten lagen und wie sie in der nächsten Stunde besser zusammenarbeiten könnten. Gegebenenfalls können die anderen Gruppen Tipps geben, worauf sie achten könnten und was ihnen helfen könnte, ein Team zu werden, das seine Ziele gut erreicht.

Dauer: 10 Minuten

Am Ende der Stunde werden die Flaggen und Quizlösungen eingesammelt. Lesetagebücher, Texte und Quizze heften die Kinder selbstständig in ihren Trainingsheftern ab. Die Lehrkraft beendet die Stunde.

3.7 Unterrichtsstunde Nr. 7

Ziele	Inhalte
✓ Festlegen eigener Ziele ✓ Erschließen des Textes ✓ Strategie-Ergebnisbewertung	1. Textauswahl und Ziele setzen (10 Min.) 2. Kleingruppenarbeit (25 Min.) 3. Quiz und Reflexion (10 Min.)

Material
✓ Plakat „Carlos Quizpalme" (A11) ✓ Klassenset „Quizpalme" (A12) ✓ je ein Klassenset für die Texte „Esel: Unverbesserliche Sturköpfe?" (T07), „Sport mal anders (Teil 1)" (T08) und „Rätselhafte Zeichen auf alten Steinplatten" (T09) ✓ Klassenset Quizfragen (QF07–09) ✓ für jede Gruppe eine Quizlösung (QL07–09)

Vorbereitung
✓ Für jedes Kind wird der Trainingshefter bereitgelegt. Er enthält bereits die früheren Materialien. ✓ Auf den Gruppentischen stehen die Flaggen. Die Kinder setzen sich an ihre Gruppentische. ✓ Die Logbücher werden erst im Verlauf der Stunde ausgeteilt. ✓ Das Plakat mithilfe der Druckfunktion „Poster" (in Adobe Acrobat Reader) auf A3 drucken.

Stundenverlauf

3.7.1 Textauswahl und Ziele setzen

Zuerst sollen die Schüler ihre Quizleistungen aus der vergangenen Stunde reflektieren. Die Lehrkraft demonstriert am → **Plakat „Carlos Quizpalme"**, wo die Kinder ihre Punkte auf ihrer persönlichen → **Quizpalme** abtragen. Die Quizpalme wird ausgeteilt.

Als erstes für heute lernt ihr die Quizpalme kennen. Wisst ihr noch, wie viele Punkte ihr beim letzten Mal erreicht habt? Ja? Dann tragt eure Quizleistung in die Quizpalme ein. Ich zeige euch das: Bei Q1, also beim ersten Quiz, tragt ihr eure geschafften Punkte ein. Carlo hat im letzten Quiz einen Punkt geschafft. Den trage ich hier ein.

Als nächstes erfahren die Kinder, welche Texte heute zur Auswahl stehen.

Ich habe euch heute wieder drei Texte aus Carlos Kiste mitgebracht. Die Überschrift des ersten Textes heißt: „Esel: Unverbesserliche Sturköpfe?". Was wird vielleicht in diesem Text stehen?

Die Kinder treffen ein bis zwei Vorhersagen. Dann Wiederholung mit dem zweiten und dritten Text.

Welche Gruppe möchte welchen Text lesen? Einigt euch in eurer Gruppe und bestimmt für den ersten Abschnitt den Gruppenkapitän.

Anschließend formulieren die Schüler ihre Ziele für die aktuelle Unterrichtsstunde und schreiben diese in ihr → **Lesetagebuch**, das sich bereits in ihrem Hefter befindet.

Bevor die Lesezeit losgeht, schreiben wir noch unsere Ziele für heute auf. Jeder schlägt bitte sein Lesetagebuch im Hefter auf. Heute könnt ihr höchstens fünf Quizpunkte schaffen. Carlo nimmt sich für das nächste Quiz zwei Punkte vor. Überlegt auch, welches Lesestrategieziel ihr heute habt und tragt es ein. Außerdem nimmt sich Carlo für heute vor, zwei gute Fragen zu stellen. [Schülername], was hast du dir vorgenommen? Und warum hast du dir das vorgenommen?

Die Lehrkraft kommentiert kurz und ruft gegebenenfalls noch ein zweites Kind auf. Danach sollen die Gruppenkapitäne die → *Texte* (je nachdem für welchen Text sich seine Gruppe entschieden hat) und die → *Logbücher* für ihre Gruppe abholen.

Der Kapitän holt dann den Text, den eure Gruppe für die heutige Unterrichtsstunde gewählt hat, und das Logbuch bei mir ab. Jedes Gruppenmitglied soll eine eigene Textkopie bekommen. Zählt also ab, wie viele ihr braucht.

> **Dauer:** 10 Minuten

3.7.2 Kleingruppenarbeit

Die Lehrkraft wiederholt gemeinsam mit den Kindern, welche Aufgaben der Gruppenkapitän hat. Danach verfolgt sie die Kleingruppenarbeit und unterstützt die Gruppen, wenn nötig.

Ihr habt jetzt einen Text. Lasst uns kurz zusammen wiederholen, was die erste Aufgabe des Gruppenkapitäns ist.

Die Kinder antworten.

Richtig, er bestimmt ein Mitglied, das den Abschnitt vorliest. Wenn ihr Fragen habt, dann meldet euch und ich komme zu euch. Bitte denkt daran, dass für jeden Abschnitt jemand anderes der Gruppenkapitän ist. Ihr habt 25 Minuten Zeit. Los geht's!

Bei Bedarf kann das Lesen nach dem zweiten Abschnitt gestoppt und im Plenum kurz besprochen werden, wie es in den einzelnen Gruppen vorangeht und wo noch Schwierigkeiten sind.

> **Dauer:** 25 Minuten

3.7.3 Quiz und Reflexion

Legt bitte euren Text weg. Jeder löst das passende Quiz zu seinem Text. Ihr habt nun kurz Zeit, die Fragen ganz allein zu beantworten. Zu jeder Frage gibt es genau eine richtige Antwort.

Die Lehrkraft verteilt die → *Quizfragen*.

Wenn die Kinder fertig sind, holt der jeweils letzte Gruppenkapitän das Quizlösungsblatt von der Lehrkraft ab und die Schüler vergleichen ihre Antworten selbstständig in der Kleingruppe. Alternativ nennt die Lehrkraft nacheinander zu jedem der drei Quizze die richtigen Antworten und die Kinder vergleichen.

Kontrolliert jetzt eure Antworten und zählt, wie viele Punkte ihr geschafft habt. Für jede richtige Antwort gibt es einen Punkt. Tragt in eure Quizpalme und euer Lesetagebuch ein, wie viele Punkte ihr geschafft habt. Habt ihr euer Quizziel erreicht? Kreuzt an, welche Strategien ihr angewendet habt und überlegt, welche Strategien ihr noch üben solltet.

Die Kinder füllen das → *Lesetagebuch* aus. Die Lehrkraft befragt einige Kinder zu ihren Einträgen und verdeutlicht den Zusammenhang zwischen Strategieanwendung, Textverstehen und Quizleistung.

> **Dauer:** 10 Minuten

Am Ende der Stunde werden die Flaggen und Quizlösungen eingesammelt. Texte und Quizfragen heften die Kinder selbstständig in ihren Trainingsheftern ab. Die Lehrkraft beendet die Stunde.

3.8 Unterrichtsstunde Nr. 8

Ziele	Inhalte
✓ Festlegen eigener Ziele ✓ Erschließen des Textes ✓ Strategie-Ergebnisbewertung	1. Textauswahl und Ziele setzen (10 Min.) 2. Kleingruppenarbeit (25 Min.) 3. Quiz und Reflexion (10 Min.)

Material
✓ je ein Klassenset für die Texte „Sport mal anders (Teil 2)" (T10), „Dickhäuter am Ewaso Ng'iro" (T11) und „Klassenzimmer auf Rädern" (T12) ✓ Klassenset Quizfragen (QF10–12) ✓ für jede Gruppe eine Quizlösung (QL10–12)

Vorbereitung
✓ Für jedes Kind wird der Trainingshefter bereitgelegt. Er enthält bereits die früheren Materialien. ✓ Auf den Gruppentischen stehen die Flaggen. Die Kinder setzen sich an ihre Gruppentische. ✓ Die Logbücher werden im Verlauf der Stunde ausgeteilt. ✓ Das Plakat „Carlos Quizpalme" hängt gut sichtbar im Klassenzimmer.

Stundenverlauf

3.8.1 Textauswahl und Ziele setzen

Ich habe euch heute wieder drei Texte aus Carlos Kiste mitgebracht. Die Überschrift des ersten Textes heißt „Sport mal anders (Teil 2)". Was wird vielleicht in diesem Text stehen?

Die Kinder treffen ein bis zwei Vorhersagen. Dann Wiederholung mit dem zweiten und dritten Text.

Welche Gruppe möchte welchen Text lesen? Einigt euch in eurer Gruppe und bestimmt für den ersten Abschnitt den Gruppenkapitän.

Anschließend formulieren die Schüler ihre Ziele für die aktuelle Unterrichtsstunde und schreiben diese in ihr → **Lesetagebuch**.

Als nächstes setzen wir uns unsere Ziele. Wisst ihr noch, wie viele Punkte ihr beim letzten Mal geschafft habt? Schaut auf eure Quizpalme. Heute könnt ihr höchstens fünf Quizpunkte schaffen. Schauen wir mal, was Carlo im letzten Quiz geschafft hat. Er wollte zwei Punkte schaffen und hat tatsächlich beide Punkte geschafft. Darüber hat er sich sehr gefreut, denn die Fragen waren ganz schön schwer.

Die Lehrkraft trägt die Punktzahl in → **Carlos Quizpalme** ein.

Und er traut sich zu, noch mehr zu schaffen, wenn er die Strategien gut anwendet. Daher will er beim nächsten Quiz drei Punkte schaffen. Um das zu schaffen, will er unbekannte Wörter klären und sich eine richtig gute Frage überlegen.

Tragt nun euer Quizziel und euer Lesestrategieziel in euer Lesetagebuch ein. [Schülername], was hast du dir vorgenommen? Und warum hast du dir das vorgenommen?

Die Lehrkraft kommentiert kurz und ruft ggf. noch ein zweites Kind auf.

> **Dauer:** 10 Minuten

3.8.2 Kleingruppenarbeit

Die Gruppenkapitäne holen die → *Texte* und → *Logbücher* für ihre Gruppe ab. Die Lehrkraft verfolgt die Kleingruppenarbeit und greift ein, wenn nötig.

> **Dauer:** 25 Minuten

3.8.3 Quiz und Reflexion

Legt bitte euren Text weg. Jeder löst das passende Quiz zu seinem Text. Ihr habt nun kurz Zeit, die Fragen ganz allein zu beantworten. Zu jeder Frage gibt es genau eine richtige Antwort.

Die Lehrkraft verteilt die → *Quizfragen*.

Wenn die Kinder fertig sind, holt der jeweils letzte Gruppenkapitän das Quizlösungsblatt von der Lehrkraft ab und die Schüler vergleichen ihre Antworten selbstständig in der Kleingruppe. Alternativ nennt die Lehrkraft nacheinander zu jedem der drei Quizze die richtigen Antworten und die Kinder vergleichen.

Kontrolliert jetzt eure Antworten und zählt, wie viele Punkte ihr geschafft habt. Für jede richtige Antwort gibt es einen Punkt. Tragt in eure Quizpalme und euer Lesetagebuch ein, wie viele Punkte ihr geschafft habt. Habt ihr euer Quizziel erreicht? Kreuzt an, welche Strategien ihr angewendet habt und überlegt, welche Strategien ihr noch üben solltet.

Die Kinder füllen das → *Lesetagebuch* aus. Die Lehrkraft befragt einige Kinder zu ihren Einträgen und verdeutlicht den Zusammenhang zwischen Strategieanwendung, Textverstehen und Quizleistung.

> **Dauer:** 10 Minuten

Am Ende der Stunde werden die Flaggen und Quizlösungen eingesammelt. Texte und Quizfragen heften die Kinder selbstständig in ihren Trainingsheftern ab. Die Lehrkraft beendet die Stunde.

3.9 Unterrichtsstunde Nr. 9

Ziele	Inhalte
✓ Festlegen eigener Ziele ✓ Erschließen des Textes ✓ Strategie-Ergebnisbewertung	1. Textauswahl und Ziele setzen (10 Min.) 2. Kleingruppenarbeit (25 Min.) 3. Quiz und Reflexion (10 Min.)

Material
✓ je ein Klassenset für die Texte „Wohnzimmer der Koalas" (T13), „Von Beruf Hundetrainer" (T14) und „Brummende Flugkünstler im Mai" (T15) ✓ Klassenset Quizfragen (QF13–15) ✓ für jede Gruppe eine Quizlösung (QL13–15)

Vorbereitung
✓ Für jedes Kind wird der Trainingshefter bereitgelegt. Er enthält bereits die früheren Materialien. ✓ Auf den Gruppentischen stehen die Flaggen. Die Kinder setzen sich an ihre Gruppentische. ✓ Die Logbücher werden erst im Verlauf der Stunde ausgeteilt. ✓ Das Plakat „Carlos Quizpalme" hängt gut sichtbar im Klassenzimmer.

Stundenverlauf

3.9.1 Textauswahl und Ziele setzen

Ich habe euch heute wieder drei Texte aus Carlos Kiste mitgebracht. Die Überschrift des ersten Textes heißt „Wohnzimmer der Koalas". Was wird vielleicht in diesem Text stehen?

Die Kinder treffen ein bis zwei Vorhersagen. Dann Wiederholung mit dem zweiten und dritten Text.

Welche Gruppe möchte welchen Text lesen? Einigt euch in eurer Gruppe und bestimmt für den ersten Abschnitt den Gruppenkapitän.

Anschließend formulieren die Schüler ihre Ziele für die aktuelle Unterrichtsstunde und schreiben diese in ihr → *Lesetagebuch.*

Als nächstes setzen wir uns unsere Ziele. Seht auf eurer Quizpalme nach, wie viele Punkte ihr beim letzten Mal geschafft habt. Heute könnt ihr maximal sechs Quizpunkte erreichen. Carlo hat den letzten Text ganz aufmerksam gelesen und bei jedem Wort, das er nicht kannte, Einstein um Rat gefragt. Das hat sich gelohnt. Denn im letzten Quiz hat Carlo drei Punkte geschafft.

Die Lehrkraft trägt die Punktzahl in → *Carlos Quizpalme* ein.

Das geht aber noch besser, denkt er sich. Er will diesmal vier Punkte schaffen, eine Vorhersage treffen und eine gute Frage stellen.

Tragt nun eure Ziele in das Lesetagebuch ein. [Schülername], was hast du dir vorgenommen? Und warum hast du dir das vorgenommen?

Die Lehrkraft kommentiert kurz und ruft ggf. noch ein zweites Kind auf.

Dauer: 10 Minuten

3.9.2 Kleingruppenarbeit

Die Gruppenkapitäne holen die → *Texte* und → *Logbücher* für ihre Gruppe ab. Die Lehrkraft verfolgt die Kleingruppenarbeit und greift ein, wenn nötig.

Dauer: 25 Minuten

3.9.3 Quiz und Reflexion

Legt bitte euren Text weg. Jeder löst das passende Quiz zu seinem Text. Ihr habt nun kurz Zeit, die Fragen ganz allein zu beantworten.

Die Lehrkraft verteilt die → **Quizfragen**.

Wenn die Kinder fertig sind, holt der jeweils letzte Gruppenkapitän das Quizlösungsblatt von der Lehrkraft ab und die Schüler vergleichen ihre Antworten selbstständig in der Kleingruppe. Alternativ nennt die Lehrkraft nacheinander zu jedem der drei Quizze die richtigen Antworten und die Kinder vergleichen.

Kontrolliert jetzt eure Antworten und zählt, wie viele Punkte ihr geschafft habt. Tragt in eure Quizpalme und euer Lesetagebuch ein, wie viele Punkte ihr geschafft habt. Habt ihr euer Quizziel erreicht? Kreuzt an, welche Strategien ihr angewendet habt und überlegt, welche Strategien ihr noch üben solltet.

Die Kinder füllen das → **Lesetagebuch** aus. Die Lehrkraft befragt einige Kinder zu ihren Einträgen und verdeutlicht den Zusammenhang zwischen Strategieanwendung, Textverstehen und Quizleistung.

Dauer: 10 Minuten

Am Ende der Stunde werden die Flaggen und Quizlösungen eingesammelt. Texte und Quizfragen heften die Kinder selbstständig in ihren Trainingsheftern ab. Die Lehrkraft beendet die Stunde.

3.10 Unterrichtsstunde Nr. 10

Ziele	Inhalte
✓ Festlegen eigener Ziele ✓ Erschließen des Textes ✓ Strategie-Ergebnisbewertung	1. Textauswahl und Ziele setzen (10 Min.) 2. Kleingruppenarbeit (25 Min.) 3. Quiz und Reflexion (10 Min.)

Material
✓ je ein Klassenset für die Texte „Schwärme: Einer für alle, alle für einen" (T16), „Nicht Schmuse-katze, sondern wilder Jäger" (T17) und „Die Roboter-WM" (T18) ✓ Klassenset Quizfragen (QF16–18) ✓ für jede Gruppe eine Quizlösung (QL16–18)

Vorbereitung
✓ Für jedes Kind wird der Trainingshefter bereitgelegt. Er enthält bereits die früheren Materialien. ✓ Auf den Gruppentischen stehen die Flaggen. Die Kinder setzen sich an ihre Gruppentische. ✓ Die Logbücher werden erst im Verlauf der Stunde ausgeteilt. ✓ Das Plakat „Carlos Quizpalme" hängt gut sichtbar im Klassenzimmer.

Stundenverlauf

3.10.1 Textauswahl und Ziele setzen

Ich habe euch heute wieder drei Texte aus Car-los Kiste mitgebracht. Die Überschrift des ersten Textes heißt „Schwärme: Einer für alle, alle für einen". Was wird vielleicht in diesem Text ste-hen?

Die Kinder treffen ein bis zwei Vorhersagen. Dann Wiederholung mit dem zweiten und drit-ten Text.

Welche Gruppe möchte welchen Text lesen? Einigt euch in eurer Gruppe und bestimmt für den ers-ten Abschnitt den Gruppenkapitän.

Anschließend formulieren die Schüler ihre Ziele für die aktuelle Unterrichtsstunde und schreiben diese in ihr → *Lesetagebuch*.

Als nächstes setzen wir uns unsere Ziele. Seht auf eurer Quizpalme nach, wie viele Punkte ihr beim letzten Mal geschafft habt. Heute könnt ihr sechs Quizpunkte erreichen. Schauen wir mal, was Carlo letztes Mal geschafft hat. Er hat drei Punkte ge-schafft, dabei wollte er doch vier schaffen!

Die Lehrkraft trägt die Punktzahl in → *Carlos Quizpalme* ein.

Deswegen hat er gar keine Lust, den nächsten Text zu lesen! Kennt ihr das auch? Was könnten wir denn zu Carlo sagen, damit er wieder Lust hat, seinen Text zu lesen?

Die Kinder antworten, z. B. Lesen ist doch wich-tig. Der nächste Text ist vielleicht ganz spannend. Carlo hat sich doch schon so toll verbessert usw.

Ja, das hat Einstein auch zu ihm gesagt und das hat Carlo geholfen. Und er nimmt sich fest vor, im nächsten Quiz endlich vier Punkte zu schaffen. Deshalb will er unbekannte Wörter klären und eine Vorhersage treffen. Tragt nun eure Ziele in das Lesetagebuch ein. [Schülername], was hast du dir vorgenommen? Und warum hast du dir das vorgenommen?

Die Lehrkraft kommentiert kurz und ruft ggf. noch ein zweites Kind auf.

Dauer: 10 Minuten

3.10.2 Kleingruppenarbeit

Die Gruppenkapitäne holen die → **Texte** und → **Logbücher** für ihre Gruppe ab. Die Lehrkraft verfolgt die Kleingruppenarbeit und greift ein, wenn nötig.

Dauer: 25 Minuten

3.10.3 Quiz und Reflexion

Legt bitte euren Text weg. Jeder löst das passende Quiz zu seinem Text. Ihr habt nun kurz Zeit, die Fragen ganz allein zu beantworten.

Die Lehrkraft verteilt die → **Quizfragen**.

Wenn die Kinder fertig sind, holt der jeweils letzte Gruppenkapitän das Quizlösungsblatt von der Lehrkraft ab und die Schüler vergleichen ihre Antworten selbstständig in der Kleingruppe. Alternativ nennt die Lehrkraft nacheinander zu jedem der drei Quizze die richtigen Antworten und die Kinder vergleichen.

Kontrolliert jetzt eure Antworten und zählt, wie viele Punkte ihr geschafft habt. Tragt in eure Quizpalme und euer Lesetagebuch ein, wie viele Punkte ihr geschafft habt. Habt ihr euer Quizziel erreicht? Kreuzt an, welche Strategien ihr angewendet habt und überlegt, welche Strategien ihr noch üben solltet.

Die Kinder füllen das → **Lesetagebuch** aus. Die Lehrkraft befragt einige Kinder zu ihren Einträgen und verdeutlicht den Zusammenhang zwischen Strategieanwendung, Textverstehen und Quizleistung.

Dauer: 10 Minuten

Am Ende der Stunde werden die Flaggen und Quizlösungen eingesammelt. Texte und Quizfragen heften die Kinder selbstständig in ihren Trainingsheftern ab. Die Lehrkraft beendet die Stunde.

3.11 Unterrichtsstunde Nr. 11

Ziele	Inhalte
✓ Festlegen eigener Ziele ✓ Erschließen des Textes ✓ Strategie-Ergebnisbewertung	1. Textauswahl und Ziele setzen (10 Min.) 2. Kleingruppenarbeit (25 Min.) 3. Quiz und Reflexion (10 Min.)

Material
✓ je ein Klassenset für die Texte „Bezaubern lassen ist nicht schwer, selber zaubern jedoch sehr" (T19), „Wölfe in Deutschlands Wäldern" (T20) und „Von Beruf Journalist" (T21)   ✓ Klassenset Quizfragen (QF19–21)   ✓ für jede Gruppe eine Quizlösung (QL19–21)

Vorbereitung
✓ Für jedes Kind wird der Trainingshefter bereitgelegt. Er enthält bereits die früheren Materialien.   ✓ Auf den Gruppentischen stehen die Flaggen. Die Kinder setzen sich an ihre Gruppentische.   ✓ Die Logbücher werden erst im Verlauf der Stunde ausgeteilt.   ✓ Das Plakat „Carlos Quizpalme" hängt gut sichtbar im Klassenzimmer.

Stundenverlauf

3.11.1 Textauswahl und Ziele setzen

Ich habe euch heute wieder drei Texte aus Carlos Kiste mitgebracht. Die Überschrift des ersten Textes heißt „Bezaubern lassen ist nicht schwer, selber zaubern jedoch sehr". Was wird vielleicht in diesem Text stehen?

Die Kinder treffen ein bis zwei Vorhersagen. Dann Wiederholung mit dem zweiten und dritten Text.

Welche Gruppe möchte welchen Text lesen? Einigt euch in eurer Gruppe und bestimmt für den ersten Abschnitt den Gruppenkapitän.

Anschließend formulieren die Schüler ihre Ziele für die aktuelle Unterrichtsstunde und schreiben diese in ihr → **Lesetagebuch**.

Als nächstes setzen wir uns unsere Ziele. Seht auf eurer Quizpalme nach, wie viele Punkte ihr beim letzten Mal geschafft habt. Heute könnt ihr maximal sieben Quizpunkte erreichen. Schauen wir mal, was Carlo letztes Mal geschafft hat. Sein Ziel *waren vier Punkte und die hat Carlo auch geschafft!*

Die Lehrkraft trägt die Punktzahl in → **Carlos Quizpalme** ein.

Carlo mag besonders das Fragen stellen und Vorhersagen. Darin ist er richtig gut und so kann er auch seine Texte immer besser verstehen. Für das nächste Quiz nimmt er sich vor, sechs Quizfragen richtig zu beantworten. Um den Text gut zu verstehen, will er zu zwei Abschnitten eine gute Vorhersage treffen und eine gute Frage stellen.

Tragt nun eure Ziele in das Lesetagebuch ein. [Schülername], was hast du dir vorgenommen? Und warum hast du dir das vorgenommen?

Die Lehrkraft kommentiert kurz und ruft ggf. noch ein zweites Kind auf.

Dauer: 10 Minuten

3.11.2 Kleingruppenarbeit

Die Gruppenkapitäne holen die → *Texte* und → *Logbücher* für ihre Gruppe ab. Die Lehrkraft verfolgt die Kleingruppenarbeit und greift ein, wenn nötig.

Dauer: 25 Minuten

3.11.3 Quiz und Reflexion

Legt bitte euren Text weg. Jeder löst das passende Quiz zu seinem Text. Ihr habt nun kurz Zeit, die Fragen ganz allein zu beantworten.

Die Lehrkraft verteilt die → *Quizfragen*.

Wenn die Kinder fertig sind, holt der jeweils letzte Gruppenkapitän das Quizlösungsblatt von der Lehrkraft ab und die Schüler vergleichen ihre Antworten selbstständig in der Kleingruppe. Alternativ nennt die Lehrkraft nacheinander zu jedem der drei Quizze die richtigen Antworten und die Kinder vergleichen.

Kontrolliert jetzt eure Antworten und zählt, wie viele Punkte ihr geschafft habt. Tragt in eure Quizpalme und euer Lesetagebuch ein, wie viele Punkte ihr geschafft habt. Habt ihr euer Quizziel erreicht? Kreuzt an, welche Strategien ihr angewendet habt und überlegt, welche Strategien ihr noch üben solltet.

Die Kinder füllen das → *Lesetagebuch* aus. Die Lehrkraft befragt einige Kinder zu ihren Einträgen und verdeutlicht den Zusammenhang zwischen Strategieanwendung, Textverstehen und Quizleistung.

Dauer: 10 Minuten

Am Ende der Stunde werden die Flaggen und Quizlösungen eingesammelt. Texte und Quizfragen heften die Kinder selbstständig in ihren Trainingsheftern ab. Die Lehrkraft beendet die Stunde.

3.12 Unterrichtsstunde Nr. 12

Ziele	Inhalte
✓ Festlegen eigener Ziele ✓ Erschließen des Textes ✓ Strategie-Ergebnisbewertung	1. Textauswahl und Ziele setzen (10 Min.) 2. Kleingruppenarbeit (25 Min.) 3. Quiz und Reflexion (10 Min.)

Material
✓ je ein Klassenset für die Texte „Cyber-Ärger: Mobbing in der digitalen Welt" (T22), „Zähne: Kleine Wunderwerke" (T23) und „Geheimnisvolle Sandgemälde" (T24) ✓ Klassenset Quizfragen (QF22–24) ✓ für jede Gruppe eine Quizlösung (QL22–24)

Vorbereitung
✓ Für jedes Kind wird der Trainingshefter bereitgelegt. Er enthält bereits die früheren Materialien. ✓ Auf den Gruppentischen stehen die Flaggen. Die Kinder setzen sich an ihre Gruppentische. ✓ Die Logbücher werden erst im Verlauf der Stunde ausgeteilt. ✓ Das Plakat „Carlos Quizpalme" hängt gut sichtbar im Klassenzimmer.

Stundenverlauf

3.12.1 Textauswahl und Ziele setzen

Ich habe euch heute wieder drei Texte aus Carlos Kiste mitgebracht. Die Überschrift des ersten Textes heißt „Cyber-Ärger: Mobbing in der digitalen Welt". Was wird vielleicht in diesem Text stehen?

Die Kinder treffen ein bis zwei Vorhersagen. Dann Wiederholung mit dem zweiten und dritten Text.

Welche Gruppe möchte welchen Text lesen? Einigt euch in eurer Gruppe und bestimmt für den ersten Abschnitt den Gruppenkapitän.

Anschließend formulieren die Schüler ihre Ziele für die aktuelle Unterrichtsstunde und schreiben diese in ihr → *Lesetagebuch.*

Als nächstes setzen wir uns unsere Ziele. Seht auf eurer Quizpalme nach, wie viele Punkte ihr beim letzten Mal geschafft habt. Heute könnt ihr maximal sieben Quizpunkte erreichen. Schauen wir mal, was Carlo letztes Mal geschafft hat. Sein Ziel waren sechs Punkte, geschafft hat Carlo fünf Punkte!

Die Lehrkraft trägt die Punktzahl in → *Carlos Quizpalme* ein.

Carlo überlegt, was er machen könnte, damit er die Texte noch besser versteht. Wir wissen ja, dass Carlo sich besonders gern Fragen und Vorhersagen überlegt. Wie könnte er sich denn noch weiter verbessern?

Antworten sammeln lassen. Wichtigkeit der Strategie Zusammenfassen betonen.

Richtig, das sind ganz wichtige Ratschläge. Carlo sollte mal versuchen, sich gute Zusammenfassungen auszudenken, denn das hilft, einen Text zu verstehen. Für den nächsten Text nimmt er sich vor, das Zusammenfassen zu üben und sechs Quizfragen richtig zu beantworten.

Tragt nun eure Ziele in das Lesetagebuch ein. [Schülername], was hast du dir vorgenommen? Und warum hast du dir das vorgenommen?

Die Lehrkraft kommentiert kurz und ruft ggf. noch ein zweites Kind auf.

Dauer: 10 Minuten

3.12.2 Kleingruppenarbeit

Die Gruppenkapitäne holen die → **Texte** und → **Logbücher** für ihre Gruppe ab. Die Lehrkraft verfolgt die Kleingruppenarbeit und greift ein, wenn nötig.

Dauer: 25 Minuten

3.12.3 Quiz und Reflexion

Legt bitte euren Text weg. Jeder löst das passende Quiz zu seinem Text. Ihr habt nun kurz Zeit, die Fragen ganz allein zu beantworten.

Die Lehrkraft verteilt die → **Quizfragen**.

Wenn die Kinder fertig sind, holt der jeweils letzte Gruppenkapitän das Quizlösungsblatt von der Lehrkraft ab und die Schüler vergleichen ihre Antworten selbstständig in der Kleingruppe. Alternativ nennt die Lehrkraft nacheinander zu jedem der drei Quizze die richtigen Antworten und die Kinder vergleichen.

Kontrolliert jetzt eure Antworten und zählt, wie viele Punkte ihr geschafft habt. Tragt in eure Quizpalme und euer Lesetagebuch ein, wie viele Punkte ihr geschafft habt. Habt ihr euer Quizziel erreicht? Kreuzt an, welche Strategien ihr angewendet habt und überlegt, welche Strategien ihr noch üben solltet.

Die Kinder füllen das → **Lesetagebuch** aus. Die Lehrkraft befragt einige Kinder zu ihren Einträgen und verdeutlicht den Zusammenhang zwischen Strategieanwendung, Textverstehen und Quizleistung.

Dauer: 10 Minuten

Am Ende der Stunde werden die Flaggen und Quizlösungen eingesammelt. Texte und Quizfragen heften die Kinder selbstständig in ihren Trainingsheftern ab. Die Lehrkraft beendet die Stunde.

3.13 Unterrichtsstunde Nr. 13

Ziele	Inhalte
✓ Festlegen eigener Ziele ✓ Erschließen des Textes ✓ Strategie-Ergebnisbewertung	1. Textauswahl und Ziele setzen (10 Min.) 2. Kleingruppenarbeit (25 Min.) 3. Quiz und Reflexion (10 Min.)

Material
✓ je ein Klassenset für die Texte „Einhörner: Wahrheit oder Mythos" (T25), „Tiere auf Rezept" (T26) und „Helfer aus Stahl" (T27) ✓ Klassenset Quizfragen (QF25–27) ✓ für jede Gruppe eine Quizlösung (QL25–27)

Vorbereitung
✓ Für jedes Kind wird der Trainingshefter bereitgelegt. Er enthält bereits die früheren Materialien. ✓ Auf den Gruppentischen stehen die Flaggen. Die Kinder setzen sich an ihre Gruppentische. ✓ ACHTUNG: Es werden keine Logbücher ausgeteilt. ✓ Das Plakat „Carlos Quizpalme" hängt gut sichtbar im Klassenzimmer.

Stundenverlauf

3.13.1 Textauswahl und Ziele setzen

Ich habe euch heute wieder drei Texte aus Carlos Kiste mitgebracht. Die Überschrift des ersten Textes heißt „Einhörner: Wahrheit oder Mythos?". Was wird vielleicht in diesem Text stehen?

Die Kinder treffen ein bis zwei Vorhersagen. Dann Wiederholung mit dem zweiten und dritten Text.

Welche Gruppe möchte welchen Text lesen? Einigt euch in eurer Gruppe und bestimmt für den ersten Abschnitt den Gruppenkapitän.

Anschließend formulieren die Schüler ihre Ziele für die aktuelle Unterrichtsstunde und schreiben diese in ihr → *Lesetagebuch.*

Als nächstes setzen wir uns unsere Ziele. Seht auf eurer Quizpalme nach, wie viele Punkte ihr beim letzten Mal geschafft habt. Heute könnt ihr maximal sieben Quizpunkte erreichen. Schauen wir mal, was Carlo letztes Mal geschafft hat. Sein Ziel waren sechs Punkte, geschafft hat Carlo wieder nur fünf Punkte!

Die Lehrkraft trägt die Punktzahl in → *Carlos Quizpalme* ein.

Carlo versucht, sich noch bessere Zusammenfassungen zu einem Abschnitt zu überlegen und bei jedem unbekannten Wort seinen Papageien um Rat zu fragen. Dann müsste es doch klappen! Für das heutige Quiz nimmt er sich vor, sechs Punkte zu erreichen.

Tragt nun eure Ziele in das Lesetagebuch ein. [Schülername], was hast du dir vorgenommen? Und warum hast du dir das vorgenommen?

Die Lehrkraft kommentiert kurz und ruft ggf. noch ein zweites Kind auf.

Dauer: 10 Minuten

3.13.2 Kleingruppenarbeit

Die Gruppen bestimmen die ersten Gruppenkapitäne, die anschließend nur die → *Texte* abholen. Die Lehrkraft verfolgt die Kleingruppenarbeit und greift ein, wenn nötig.

Heute bekommt ihr kein Logbuch mehr, weil ihr so gute Gruppenkapitäne geworden seid. Denkt daran, was alles wichtig ist, wenn ihr klärt oder zusammenfasst und auf was ihr achten müsst, um eine gute Rückmeldung zu geben.

Dauer: 25 Minuten

3.13.3 Quiz und Reflexion

Legt bitte euren Text weg. Jeder löst das passende Quiz zu seinem Text. Ihr habt nun kurz Zeit, die Fragen ganz allein zu beantworten.

Die Lehrkraft verteilt die → ***Quizfragen.***

Wenn die Kinder fertig sind, holt der jeweils letzte Gruppenkapitän das Quizlösungsblatt von der Lehrkraft ab und die Schüler vergleichen ihre Antworten selbstständig in der Kleingruppe. Alternativ nennt die Lehrkraft nacheinander zu jedem der drei Quizze die richtigen Antworten und die Kinder vergleichen.

Kontrolliert jetzt eure Antworten und zählt, wie viele Punkte ihr geschafft habt. Tragt in eure Quizpalme und euer Lesetagebuch ein, wie viele Punkte ihr geschafft habt. Habt ihr euer Quizziel erreicht? Kreuzt an, welche Strategien ihr angewendet habt und überlegt, welche Strategien ihr noch üben solltet.

Die Kinder füllen das → ***Lesetagebuch*** aus. Die Lehrkraft befragt einige Kinder zu ihren Einträgen und verdeutlicht den Zusammenhang zwischen Strategieanwendung, Textverstehen und Quizleistung.

Dauer: 10 Minuten

Am Ende der Stunde werden die Flaggen und Quizlösungen eingesammelt. Texte und Quizfragen heften die Kinder selbstständig in ihren Trainingsheftern ab. Die Lehrkraft beendet die Stunde.

3.14 Unterrichtsstunde Nr. 14

Ziele	Inhalte
✓ Festlegen eigener Ziele ✓ Erschließen des Textes ✓ Strategie-Ergebnisbewertung ✓ Transfer auf andere Situationen	1. Textauswahl und Ziele setzen (10 Min.) 2. Kleingruppenarbeit (20 Min.) 3. Quiz und Reflexion (5 Min.) 4. Abschluss der Unterrichtseinheit (10 Min.)

Material
✓ je ein Klassenset für die Texte „Null Bock auf Schule?" (T28), „Mit 200 Sachen auf und ab" (T29) und „Die Erfindung der Sommerzeit" (T30) ✓ Klassenset Quizfragen (QF28–30) ✓ für jede Gruppe eine Quizlösung (QL28–30) ✓ Klassenset „Urkunde" (A13.1–A13.2) ✓ Schatzkiste

Vorbereitung
✓ Für jedes Kind wird der Trainingshefter bereitgelegt. Er enthält bereits die früheren Materialien. ✓ Auf den Gruppentischen stehen die Flaggen. Die Kinder setzen sich an ihre Gruppentische. ✓ ACHTUNG: Es werden keine Logbücher ausgeteilt. ✓ Das Plakat „Carlos Quizpalme" hängt gut sichtbar im Klassenzimmer. ✓ Für jedes Kind wird eine Urkunde vorbereitet. ✓ Die Lehrkraft befüllt eine kleine Schatzkiste z. B. mit Goldmünzen aus Schokolade.

Stundenverlauf

3.14.1 Textauswahl und Ziele setzen

Ich habe euch heute ein letztes Mal drei Texte aus Carlos Kiste mitgebracht. Die Überschrift des ersten Textes heißt „Null Bock auf Schule?". Was wird vielleicht in diesem Text stehen?

Die Kinder treffen ein bis zwei Vorhersagen. Dann Wiederholung mit dem zweiten und dritten Text.

Welche Gruppe möchte welchen Text lesen? Einigt euch in eurer Gruppe und bestimmt für den ersten Abschnitt den Gruppenkapitän.

Anschließend formulieren die Schüler ihre Ziele für die aktuelle Unterrichtsstunde und schreiben diese in ihr → **Lesetagebuch**.

Als nächstes setzen wir uns unsere Ziele. Seht auf eurer Quizpalme nach, wie viele Punkte ihr beim letzten Mal geschafft habt. Heute könnt ihr maximal acht Quizpunkte erreichen. Schauen wir mal, was Carlo letztes Mal geschafft hat. Sein Ziel waren sechs Punkte und die hat er auch geschafft! Carlo ist so stolz auf sich und auch Einstein kann gar nicht glauben, dass Carlo so ein guter Leser geworden ist.

Die Lehrkraft trägt die Punktzahl in → **Carlos Quizpalme** ein.

Für das heutige Quiz nimmt er sich vor, alle Fragen richtig zu beantworten. Deshalb will er heute noch einmal alle vier Lesestrategien üben.

Tragt nun eure Ziele in das Lesetagebuch ein. [Schülername], was hast du dir vorgenommen? Und warum hast du dir das vorgenommen?

Die Lehrkraft kommentiert kurz und ruft ggf. noch ein zweites Kind auf.

Dauer: 10 Minuten

3.14.2 Kleingruppenarbeit

Die Gruppen bestimmen die ersten Gruppenkapitäne, die anschließend nur die → *Texte* abholen. Die Lehrkraft verfolgt die Kleingruppenarbeit und greift ein, wenn nötig.

Auch heute arbeitet ihr ohne Logbuch, weil ihr so gute Gruppenkapitäne geworden seid. Denkt daran, was alles wichtig ist, wenn ihr die vier Strategien anwendet und auf was ihr achten müsst, um eine gute Rückmeldung zu geben.

Dauer: 20 Minuten

3.14.3 Quiz und Reflexion

Legt bitte euren Text weg. Jeder löst das passende Quiz zu seinem Text. Ihr habt nun kurz Zeit, die Fragen ganz allein zu beantworten.

Die Lehrkraft verteilt die → **Quizfragen**.

Wenn die Kinder fertig sind, holt der jeweils letzte Gruppenkapitän das Quizlösungsblatt von der Lehrkraft ab und die Schüler vergleichen ihre Antworten selbstständig in der Kleingruppe. Alternativ nennt die Lehrkraft nacheinander zu jedem der drei Quizze die richtigen Antworten und die Kinder vergleichen.

Kontrolliert jetzt eure Antworten und zählt, wie viele Punkte ihr geschafft habt. Tragt in eure Quizpalme und euer Lesetagebuch ein, wie viele Punkte ihr geschafft habt. Habt ihr euer Quizziel erreicht? Kreuzt an, welche Strategien ihr angewendet habt

und überlegt, welche Strategien ihr noch üben solltet.

Die Kinder füllen das → *Lesetagebuch* aus. Die Lehrkraft befragt einige Kinder zu ihren Einträgen und verdeutlicht den Zusammenhang zwischen Strategieanwendung, Textverstehen und Quizleistung.

Dauer: 5 Minuten

3.14.4 Abschluss der Unterrichtseinheit

Da diese Stunde die letzte Stunde im Rahmen des Trainings ist, wird es gemeinsam mit den Schülern ausgewertet.

Das war heute unsere letzte Stunde mit Käpt'n Carlo und Papagei Einstein und ihren tollen Texten. Carlo ist auch am Ziel und ist sehr stolz auf sich. Er ist begeistert, weil er weiß, dass er jetzt endlich gut lesen kann und jede Inselbeschreibung verstehen kann. Was hat euch denn besonders gut gefallen? Was könnt ihr nach unserem Training besonders gut?

Die Kinder antworten. Die Lehrkraft bekräftigt den Kompetenzerwerb. Gemeinsam soll überlegt werden, wie die Lesestrategien weiterhin genutzt werden können.

Unser Training ist zwar nun vorbei. Aber was können wir uns denn tun, damit wir uns noch lange an die Strategien erinnern? Wie können wir die Strategien weiter nutzen?

Die Kinder antworten. Gegebenenfalls kann die Lehrkraft folgende Vorschläge ergänzen:
- regelmäßig Texte in den Lesegruppen lesen
- neue Lesegruppen bilden und die Strategien üben
- Texte in anderen Fächern mit Hilfe der Strategien verstehen
- Strategien auch beim Lesen von Geschichten und nicht nur bei Sachtexten anwenden
- zum Verstehen von Zeitschriftenartikeln oder Lexikoneinträgen geeignete Strategien auswählen.

Zum Abschluss erhält jedes Kind eine → *Urkunde*. Wenn nicht nur die Einzelleistung belohnt werden soll, kann für die ganze Klasse eine Schatzkiste vorbereitet werden, in der die Lehrkraft ein paar kleine Preise (bspw. Süßigkeiten in Goldmünzenformat) bereitstellt.

Als Überraschung überreicht Einstein Carlo eine Urkunde, die ihn als Lesekapitän ausweist. Auch ihr seid jetzt echte Lesekapitäne und erhaltet eine Urkunde. Außerdem seht ihr hier eine Schatzkiste, die ich euch mitgebracht habe, aus der sich jeder eine Kleinigkeit aussuchen darf.

Dauer: 10 Minuten

Am Ende der Stunde werden die Flaggen und Quizlösungen eingesammelt. Texte und Quizfragen heften die Kinder selbstständig in ihren Trainingsheftern ab. Die Lehrkraft beendet die Unterrichtseinheit.

III. Anhang

A1 – Stundenverlaufspläne

Die Stundenverlaufspläne ermöglichen einen schnellen Überblick zu jeder der 14 Unterrichtsstunden. Sie enthalten auf komprimierte Art die Ziele und Inhalte der jeweiligen Stunde sowie die empfohlenen Methoden und Sozialformen. Außerdem sind immer alle erforderlichen Materialien aufgelistet.

Stundenverlaufsplan: 1. Stunde

Zeit	Ziel	Inhalt	Methode/Sozialform	Materialien
10 min	Wecken der Motivation	Vorstellung der Unterrichtseinheit mit Hilfe der Geschichte von Käpt'n Carlo und Papagei Einstein Warum sollte man ein guter Leser sein?	Gespräch im Plenum	✓ Klassenset Trainingshefter ✓ Karten „Käpt'n Carlo" und „Papagei Einstein" (A2.1–A2.2) ✓ Karte „Lesezeichen" (A3.1)
5 min	Kennenlernen des Strategiebegriffs	Was ist eine Strategie? Welche allgemeinen Strategien sind bereits bekannt?	Gespräch im Plenum	✓ Klassenset „Lesezeichen" (A3.2)
15 min	Kennenlernen des *Klärens*	Was stellen sich die Kinder unter der Strategie Klären vor? Vorgehen beim Klären anhand eines Beispiels	Gespräch im Plenum und Partnerarbeit	✓ Karten „Klären" und „Fragen" (A4.1–A4.2) ✓ Klassenset Text „Computerspieleentwickler" (T01)
15 min	Kennenlernen des *Fragens*	Was stellen sich die Kinder unter der Strategie Fragen vor? Vorgehen beim Fragen anhand eines Beispiels	Gespräch im Plenum und Partnerarbeit	✓ Text „Computerspieleentwickler" auf Overhead-Folie oder als Datei ✓ Folienstift, Lineal, Kreide, Magnete

Stundenverlaufsplan: 2. Stunde

Zeit	Ziel	Inhalt	Methode/Sozialform	Materialien
5 min	Festigen des *Klärens* und *Fragens*	Wiederholung der beiden Strategien Was mache ich genau beim Klären und Fragen?	Gespräch im Plenum	✓ Trainingshefter ✓ Karten „Klären", „Fragen", „Zusammenfassen" und „Vorhersagen" (A4.1–A4.4)
20 min	Kennenlernen des *Zusammenfassens*	Was stellen sich die Kinder unter der Strategie Zusammenfassen vor? Vorgehen beim Zusammenfassen (2-Schritte-Technik) anhand eines Beispiels	Gespräch im Plenum und Partnerarbeit	✓ Karten „Lückentextwörter Tafelbild" (A5) ✓ Folienstift, Lineal
20 min	Kennenlernen des *Vorhersagens*	Was stellen sich die Kinder unter der Strategie Vorhersagen vor? Vorgehen beim Vorhersagen anhand eines Beispiels	Gespräch im Plenum	✓ Text „Computerspieleentwickler" (auf Overhead-Folie oder als Datei)

Stundenverlaufsplan: 3. Stunde

Zeit	Ziel	Inhalt	Methode/Sozialform	Materialien
15 min	Festigen des Lesestrategiewissens	Worauf achtet ihr, wenn ihr die Strategien nutzt? Gemeinsames Ausfüllen des Arbeitsblattes (Lückentext)	Gespräch im Plenum	✓ Trainingshefter ✓ Klassenset Arbeitsblatt „Unsere vier Lesestrategien" (A6.1) ✓ Lösungsblatt zu „Unsere vier Lesestrategien" (A6.2)
20 min	Festigen des Strategieablaufs	Gemeinsames Lesen der ersten beiden Abschnitte Anwenden der vier Lesestrategien	Gespräch im Plenum	✓ Klassenset Text „Seepferdchen in Seenot" (T02)
10 min	Bilden der Lesegruppen	Bekanntgabe der Lesegruppen (4–6 Schüler, die auch für die folgenden Stunden eine feste Gruppe bilden) Gestaltung einer gemeinsamen Gruppenflagge	Lesegruppen	✓ Text „Seepferdchen in Seenot" (auf Overhead-Folie oder als Datei) ✓ für jede Gruppe eine Gruppenflagge (A7)

Stundenverlaufsplan: 4. Stunde

Zeit	Ziel	Inhalt	Methode/Sozialform	Materialien
10 min	Stärkung der Gruppen-identität	Vorstellung der Gruppenflaggen	Gespräch im Plenum	✓ Trainingshefter ✓ Flaggen
25 min	Kennenlernen der Auf-gaben der Lesegruppe	Vorstellung der unterschiedlichen Rollen (Gruppenkapitän, Crew) und der damit ver-bundenen Aufgaben Vorstellung des Logbuchs	Gespräch im Plenum	✓ für jede Gruppe ein Logbuch (A8) ✓ Logbuch (auf Folie)
10 min	Vertraut werden mit dem Geben von Rückmeldun-gen	Vorstellung der Rückmeldungsart: Was war gut, was geht besser? Sammeln von Beispielen	Gespräch im Plenum	

Stundenverlaufsplan: 5. Stunde

Zeit	Ziel	Inhalt	Methode/Sozialform	Materialien
5 min	Festigen des Wissens über die Aufgaben des Gruppenkapitäns	Welche Aufgaben hat der Gruppenkapitän? Was haben wir über Rückmeldungen gelernt?	Gespräch im Plenum	✓ Trainingshefter ✓ Flaggen ✓ Logbücher ✓ Klassenset Text „Der Champion unter den Schlittenhunden" (T03) ✓ Plakatbausteine „Unsere Lese-strategieziele" (A9)
20 min	Festigen des Ablaufs beim reziproken Lehren	Anwendung der Lesestrategien in den Lesegruppen, Üben der verschiedenen Rollen	Lesegruppen	
		Reflexion der Gruppenarbeit: Was war gut? Was geht noch besser?	Gespräch im Plenum	
20 min	Kennenlernen von Strategiezielen	Vorstellung unterschiedlicher Ziele Zusammenstellen von Lesestrategiezielen auf einem Plakat	Gespräch im Plenum	

Stundenverlaufsplan: 6. Stunde

Zeit	Ziel	Inhalt	Methode/Sozialform	Materialien
10 min	Textauswahl und Setzen eigener Ziele	Vorstellen der Textüberschriften und Auswahl eines Textes durch die Gruppe	Gespräch im Plenum	✓ Trainingshefter
				✓ Flaggen
		Festlegen des Quiz- und Strategieziels im Lesetagebuch	Individuelles Arbeiten	✓ Logbücher
				✓ je ein Klassenset für die Texte „Eichhörnchen: Bald nur noch Graupelzer?" (T04), „Von Beruf Polizist" (T05) und „Einheitstracht in der Schule?" (T06)
25 min	Erschließen des Textes	Reziprokes Lehren: Übernahme unterschiedlicher Rollen, Anwenden der Lesestrategien	Lesegruppen	
10 min	Strategie-Ergebnis-Bewertung: Reflektieren über Strategienutzung, Textverstehen und Quizleistung	Individuelles Lösen und Auswerten der Quizfragen	Individuelles Arbeiten	✓ Klassenset Quizfragen (QF04–06)
		Reflexion mit Hilfe des Lesetagebuchs: Habe ich meine Ziele erreicht? Warum (nicht)?	Gespräch im Plenum	✓ für jede Gruppe eine Quizlösung (QL04–06)
				✓ Klassenset „Lesetagebuch" (A10)

Stundenverlaufsplan: 7. Stunde

Zeit	Ziel	Inhalt	Methode/Sozialform	Materialien
10 min	Textauswahl und Setzen eigener Ziele	Kennenlernen der Quizpalme	Gespräch im Plenum	✓ Trainingshefter
		Vorstellen der Textüberschriften und Auswahl eines Textes durch die Gruppe		✓ Flaggen
				✓ Logbücher
		Festlegen des Quiz- und Strategieziels im Lesetagebuch	Individuelles Arbeiten	✓ Plakat „Carlos Quizpalme" (A11)
25 min	Erschließen des Textes	Reziprokes Lehren: Übernahme unterschiedlicher Rollen, Anwenden der Lesestrategien	Lesegruppen	✓ Klassenset „Quizpalme" (A12)
				✓ je ein Klassenset für die Texte „Esel: Unverbesserliche Sturköpfe?" (T07), „Sport mal anders (Teil 1)" (T08) und „Rätselhafte Zeichen auf alten Steinplatten" (T09)
10 min	Strategie-Ergebnisbewertung	Individuelles Lösen und Auswerten der Quizfragen	Individuelles Arbeiten	✓ Klassenset Quizfragen (QF07–09)
		Eintrag der individuellen Quizpunkte in die Quizpalme		✓ für jede Gruppe eine Quizlösung (QL07–09)
		Reflexion mit Hilfe des Lesetagebuchs: Habe ich meine Ziele erreicht? Warum (nicht)?	Gespräch im Plenum	

Stundenverlaufsplan: 8. Stunde

Zeit	Ziel	Inhalt	Methode/Sozialform	Materialien
10 min	Textauswahl und Setzen eigener Ziele	Vorstellen der Textüberschriften und Auswahl eines Textes durch die Gruppe	Gespräch im Plenum	✓ Trainingshefter
				✓ Flaggen
		Festlegen des Quiz- und Strategieziels im Lesetagebuch	Individuelles Arbeiten	✓ Logbücher
				✓ je ein Klassenset für die Texte „Sport mal anders (Teil 2)" (T10), „Dickhäuter am Ewaso Ng'iro" (T11) und „Klassenzimmer auf Rädern" (T12)
25 min	Erschließen des Textes	Reziprokes Lehren: Übernahme unterschiedlicher Rollen, Anwenden der Lesestrategien	Lesegruppen	
10 min	Strategie-Ergebnisbewertung	Individuelles Lösen und Auswerten der Quizfragen	Individuelles Arbeiten	✓ Klassenset Quizfragen (QF10–12)
		Eintrag der individuellen Quizpunkte in die Quizpalme		✓ für jede Gruppe eine Quizlösung (QL10–12)
		Reflexion mit Hilfe des Lesetagebuchs: Habe ich meine Ziele erreicht? Warum (nicht)?	Gespräch im Plenum	

Stundenverlaufsplan: 9. Stunde

Zeit	Ziel	Inhalt	Methode/Sozialform	Materialien
10 min	Textauswahl und Setzen eigener Ziele	Vorstellen der Textüberschriften und Auswahl eines Textes durch die Gruppe	Gespräch im Plenum	✓ Trainingshefter
				✓ Flaggen
		Festlegen des Quiz- und Strategieziels im Lesetagebuch	Individuelles Arbeiten	✓ Logbücher
25 min	Erschließen des Textes	Reziprokes Lehren: Übernahme unterschiedlicher Rollen, Anwenden der Lesestrategien	Lesegruppen	✓ je ein Klassenset für die Texte „Wohnzimmer der Koalas" (T13), „Von Beruf Hundetrainer" (T14) und „Brummende Flugkünstler im Mai" (T15)
10 min	Strategie-Ergebnisbewertung	Individuelles Lösen und Auswerten der Quizfragen	Individuelles Arbeiten	✓ Klassenset Quizfragen (QF13–15)
		Eintrag der individuellen Quizpunkte in die Quizpalme		✓ für jede Gruppe eine Quizlösung (QL13–15)
		Reflexion mit Hilfe des Lesetagebuchs: Habe ich meine Ziele erreicht? Warum (nicht)?	Gespräch im Plenum	

Stundenverlaufsplan: 10. Stunde

Zeit	Ziel	Inhalt	Methode/Sozialform	Materialien
10 min	Textauswahl und Setzen eigener Ziele	Vorstellen der Textüberschriften und Auswahl eines Textes durch die Gruppe Festlegen des Quiz- und Strategieziels im Lesetagebuch	Gespräch im Plenum Individuelles Arbeiten	✓ Trainingshefter ✓ Flaggen ✓ Logbücher ✓ je ein Klassenset für die Texte „Schwärme: Einer für alle, alle für einen" (T16), „Nicht Schmusekatze, sondern wilder Jäger" (T17) und „Roboter-WM" (T18)
25 min	Erschließen des Textes	Reziprokes Lehren: Übernahme unterschiedlicher Rollen, Anwenden der Lesestrategien	Lesegruppen	
10 min	Strategie-Ergebnisbewertung	Individuelles Lösen und Auswerten der Quizfragen Eintrag der individuellen Quizpunkte in die Quizpalme Reflexion mit Hilfe des Lesetagebuchs: Habe ich meine Ziele erreicht? Warum (nicht)?	Individuelles Arbeiten Gespräch im Plenum	✓ Klassenset Quizfragen (QF16–18) ✓ für jede Gruppe eine Quizlösung (QL16–18)

Stundenverlaufsplan: 11. Stunde

Zeit	Ziel	Inhalt	Methode/Sozialform	Materialien
10 min	Textauswahl und Setzen eigener Ziele	Vorstellen der Textüberschriften und Auswahl eines Textes durch die Gruppe Festlegen des Quiz- und Strategieziels im Lesetagebuch	Gespräch im Plenum Individuelles Arbeiten	✓ Trainingshefter ✓ Flaggen ✓ Logbücher ✓ je ein Klassenset für die Texte „Bezaubern lassen ist nicht schwer, selber zaubern jedoch sehr" (T19), „Wölfe in Deutschlands Wäldern" (T20) und „Von Beruf Journalist" (T21) ✓ Klassenset für Quizfragen (QF19–21) ✓ für jede Gruppe eine Quizlösung (QL19–21)
25 min	Erschließen des Textes	Reziprokes Lehren: Übernahme unterschiedlicher Rollen, Anwenden der Lesestrategien	Lesegruppen	
10 min	Strategie-Ergebnisbewertung	Individuelles Lösen und Auswerten der Quizfragen Eintrag der individuellen Quizpunkte in die Quizpalme Reflexion mit Hilfe des Lesetagebuchs: Habe ich meine Ziele erreicht? Warum (nicht)?	Individuelles Arbeiten Gespräch im Plenum	

Stundenverlaufsplan: 12. Stunde

Zeit	Ziel	Inhalt	Methode/Sozialform	Materialien
10 min	Textauswahl und Setzen eigener Ziele	Vorstellen der Textüberschriften und Auswahl eines Textes durch die Gruppe	Gespräch im Plenum	✓ Trainingshefter ✓ Flaggen ✓ Logbücher
		Festlegen des Quiz- und Strategieziels im Lesetagebuch	Individuelles Arbeiten	✓ je ein Klassenset für die Texte „Cyber-Ärger: Mobbing in der digitalen Welt" (T22), „Zähne: Kleine Wunderwerke" (T23) und „Geheimnisvolle Sandgemälde" (T24)
25 min	Erschließen des Textes	Reziprokes Lehren: Übernahme unterschiedlicher Rollen, Anwenden der Lesestrategien	Lesegruppen	
10 min	Strategie-Ergebnisbewertung	Individuelles Lösen und Auswerten der Quizfragen	Individuelles Arbeiten	✓ Klassenset Quizfragen (QF22–24) ✓ für jede Gruppe eine Quizlösung (QL22–24)
		Eintrag der individuellen Quizpunkte in die Quizpalme		
		Reflexion mit Hilfe des Lesetagebuchs: Habe ich meine Ziele erreicht? Warum (nicht)?	Gespräch im Plenum	

Stundenverlaufsplan: 13. Stunde

Zeit	Ziel	Inhalt	Methode/Sozialform	Materialien
10 min	Textauswahl und Setzen eigener Ziele	Vorstellen der Textüberschriften und Auswahl eines Textes durch die Gruppe	Gespräch im Plenum	✓ Trainingshefter ✓ Flaggen
		Festlegen des Quiz- und Strategieziels im Lesetagebuch	Individuelles Arbeiten	✓ je ein Klassenset für die Texte „Einhörner: Wahrheit oder Mythos" (T25), „Tiere auf Rezept" (T26) und „Helfer aus Stahl" (T27)
25 min	Erschließen des Textes	Reziprokes Lehren: Übernahme unterschiedlicher Rollen, Anwenden der Lesestrategien	Lesegruppen	✓ Klassenset für Quizfragen (QF25–27)
10 min	Strategie-Ergebnisbewertung	Individuelles Lösen und Auswerten der Quizfragen	Individuelles Arbeiten	✓ für jede Gruppe eine Quizlösung (QL25–27)
		Eintrag der individuellen Quizpunkte in die Quizpalme		✓ **Achtung: kein Logbuch**
		Reflexion mit Hilfe des Lesetagebuchs: Habe ich meine Ziele erreicht? Warum (nicht)?	Gespräch im Plenum	

Stundenverlaufsplan: 14. Stunde

Zeit	Ziel	Inhalt	Methode/Sozialform	Materialien
10 min	Textauswahl und Setzen eigener Ziele	Vorstellen der Textüberschriften und Auswahl eines Textes durch die Gruppe	Gespräch im Plenum	✓ Trainingshefter ✓ Flaggen ✓ je ein Klassenset für die Texte „Null Bock auf Schule?" (T28), „Mit 200 Sachen auf und ab" (T29) und „Die Erfindung der Sommerzeit" (T30)
		Festlegen des Quiz- und Strategieziels im Lesetagebuch	Individuelles Arbeiten	
20 min	Erschließen des Textes	Reziprokes Lehren: Übernahme unterschiedlicher Rollen, Anwenden der Lesestrategien	Lesegruppen	
5 min	Strategie-Ergebnisbewertung	Individuelles Lösen und Auswerten der Quizfragen	Individuelles Arbeiten	✓ Klassenset Quizfragen (QF28–30) ✓ für jede Gruppe eine Quizlösung (QL28–30)
		Eintrag der individuellen Quizpunkte in die Quizpalme		
		Reflexion mit Hilfe des Lesetagebuchs: Habe ich meine Ziele erreicht? Warum (nicht)?	Gespräch im Plenum	✓ Klassenset „Urkunde" (Anhang A13.1–A13.2)
10 min	Transfer auf andere Situationen	Was hat am Training besonders gut gefallen?	Gespräch im Plenum	✓ Schatzkiste ✓ **Achtung: kein Logbuch**
		Wie kann man die Lesestrategien zukünftig nutzen?		
		Verteilen der Urkunden und Öffnen des Leseschatzes		

A2 – Kopiervorlagen der Materialien

Auf der beiliegenden CD-ROM finden sich alternativ Dateien aller benötigten Materialien.

A2.1 – Karte „Käpt'n Carlo"

A2.2 – Karte „Papagei Einstein"

A3.1 – Karte „Lesezeichen"

A3.2 – Lesezeichen

A4.1 – Karte „Klären"

A4.2 – Karte „Fragen"

FRAGEN

A4.3 – Karte „Zusammenfassen"

ZUSAMMENFASSEN

A4.4 – Karte „Vorhersagen"

VORHERSAGEN

Nenne

Hauptperson

Hauptsache

Wichtigste

eigenen Worten

einem Satz

A6.1 – Arbeitsblatt „Unsere vier Lesestrategien"

Klären	Ich suche nach _____ Wörtern oder schwierigen Textstellen. Ich überlege, ob ich das Wort oder Teile des Wortes schon einmal _____ habe. Ich suche nach _____ im Textabschnitt. Ich _____ _____, wenn ich gar nicht weiter weiß.

Fragen	Ich stelle Fragen zu den _____ Inhalten des Abschnitts. Ich denke mir Fragen aus, die ein _____ stellen würde. Ich stelle Fragen, die sich mit dem _____ _____ lassen.

Zusammenfassen	Ich nenne die _____ oder _____. Ich sage das _____ über sie. Ich fasse mit _____ Worten in einem _____ zusammen.

Vorhersagen	Ich überlege, was im _____ Abschnitt stehen könnte. Ich treffe eine Vorhersage, die _____ ist.

A6.2 – Arbeitsblatt „Unsere vier Lesestrategien" – Lösungsblatt

Klären	Ich suche nach _____unbekannten_____ Wörtern oder schwierigen Textstellen.
	Ich überlege, ob ich das Wort oder Teile des Wortes schon einmal _____gehört_____ habe.
	Ich suche nach _____Hinweisen_____ im Textabschnitt.
	Ich _____frage_____ _____jemanden_____, wenn ich gar nicht weiter weiß.

Fragen	Ich stelle Fragen zu den _____wichtigsten_____ Inhalten des Abschnitts.
	Ich denke mir Fragen aus, die ein _____Lehrer_____ stellen würde.
	Ich stelle Fragen, die sich mit dem _____Text_____ _____beantworten_____ lassen.

Zusammenfassen	Ich nenne die _____Hauptperson_____ oder _____Hauptsache_____.
	Ich sage das _____Wichtigste_____ über sie.
	Ich fasse mit _____eigenen_____ Worten in einem _____Satz_____ zusammen.

Vorhersagen	Ich überlege, was im _____nächsten_____ Abschnitt stehen könnte.
	Ich treffe eine Vorhersage, die _____wahrscheinlich_____ ist.

A7 – Gruppenflagge

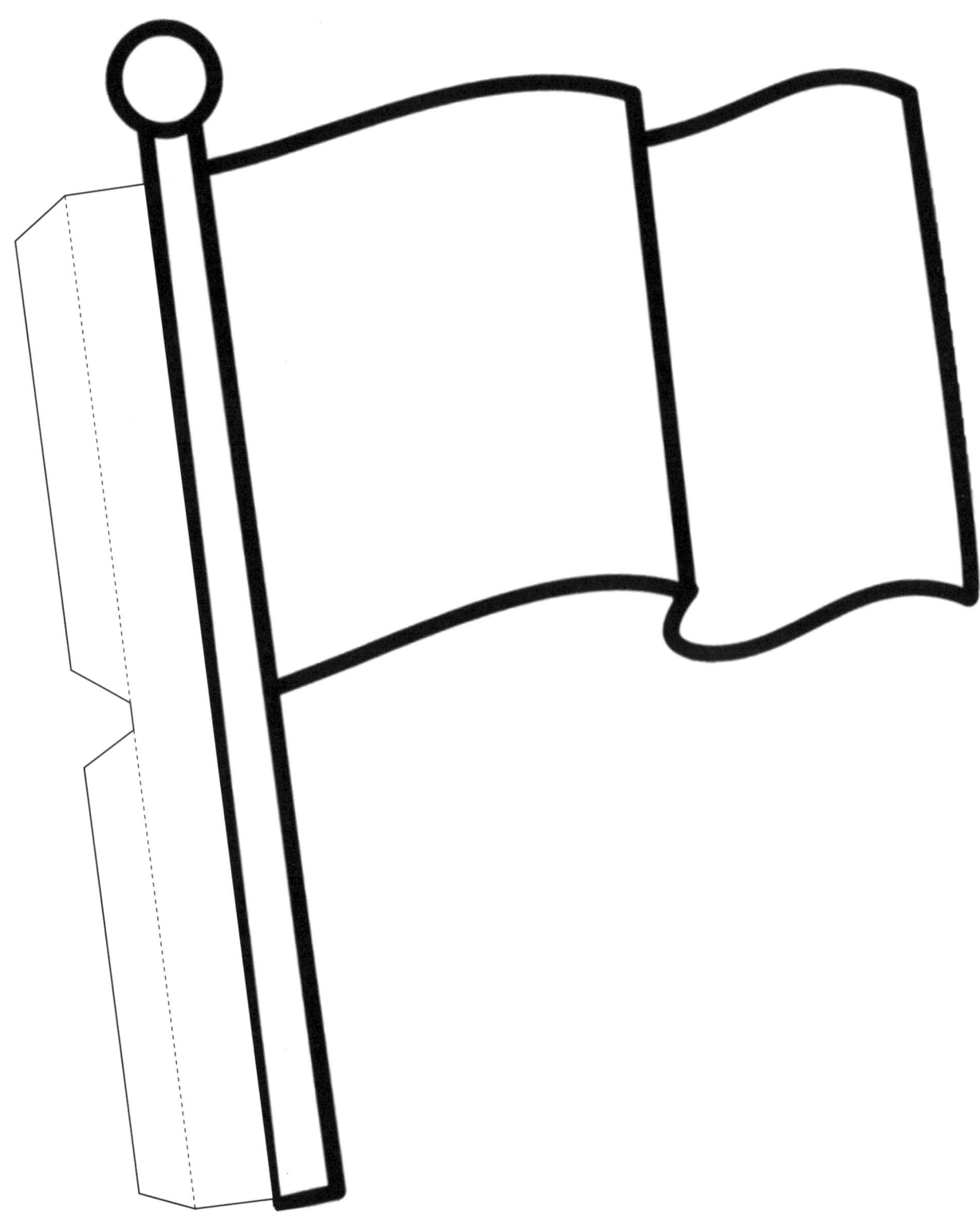

A8 – Logbuch

Logbuch für Gruppenkapitäne

1. Suche ein Mitglied deiner Gruppe aus, das den Abschnitt vorliest.

2. Sage ihm, ob es gut gelesen hat und was noch besser werden kann.

3. Versteht gemeinsam den Abschnitt mit Hilfe der vier Lesestrategien.

Klären

Sage:

„Wer hat ein Wort, das geklärt werden soll?"

Hilfe:

„Lies den Satz vor und nach dem Wort."

„Frage jemanden, ob er dir das Wort erklärt."

Zum Schluss:

Was war gut?

Was geht noch besser?

Fragen

Sage:

„Wer stellt eine Frage zum Abschnitt?"

Hilfe:

„Mit welcher Frage findest du heraus, ob der Abschnitt verstanden wurde?"

„Welche Fragen würde der Lehrer stellen?"

Zum Schluss:

Was war gut?

Was geht noch besser?

Zusammenfassen

Sage:

„Wer fasst den Abschnitt zusammen?"

Hilfe:

„Was ist das Wichtigste?"

„Fasse in einem Satz mit eigenen Worten zusammen."

Zum Schluss:

Was war gut?

Was geht noch besser?

Vorhersagen

Sage:

„Wer trifft eine Vorhersage?"

Hilfe:

„Was könnte im nächsten Abschnitt stehen?"

„Ist das wahrscheinlich?"

Zum Schluss:

Was war gut?

Was geht noch besser?

4. Bestimme den nächsten Gruppenkapitän und reiche das Logbuch an ihn weiter.

A9 – Plakatbausteine „Unsere Lesestrategieziele"

Liebe Lehrkräfte,

auf dieser Seite finden Sie eine Vorlage zur Gestaltung der Plakatüberschrift. Auf der nächsten Seite befindet sich eine Vorlage für

die Lesestrategieziele in den Sprechblasen.

Unsere
Lesestrategieziele

A9 – Plakatbausteine „Unsere Lesestrategieziele"

A10 – Lesetagebuch (Auszug)

Lesetagebuch

von: _____

Klasse: _____

Unterrichtsstunde Nr. 6   Datum: _____

Mein Quiz-Ziel:

_____ Punkte

Wie kann ich mein Quiz-Ziel
erreichen?

_____

_____

_____

_____

_____

_____

Im Quiz habe ich heute _____ Punkte geschafft.

Habe ich mein Quiz-Ziel erreicht?

□ ☺   □ ☹

Überlege: Warum war ich gut oder nicht so gut im Quiz? Dabei helfen dir die Fragen:

Welche Strategien habe ich heute wirklich geübt?

□ Klären   □ Fragen   □ Zusammenfassen   □ Vorhersagen

Was will ich noch mehr üben?

_____

_____

_____

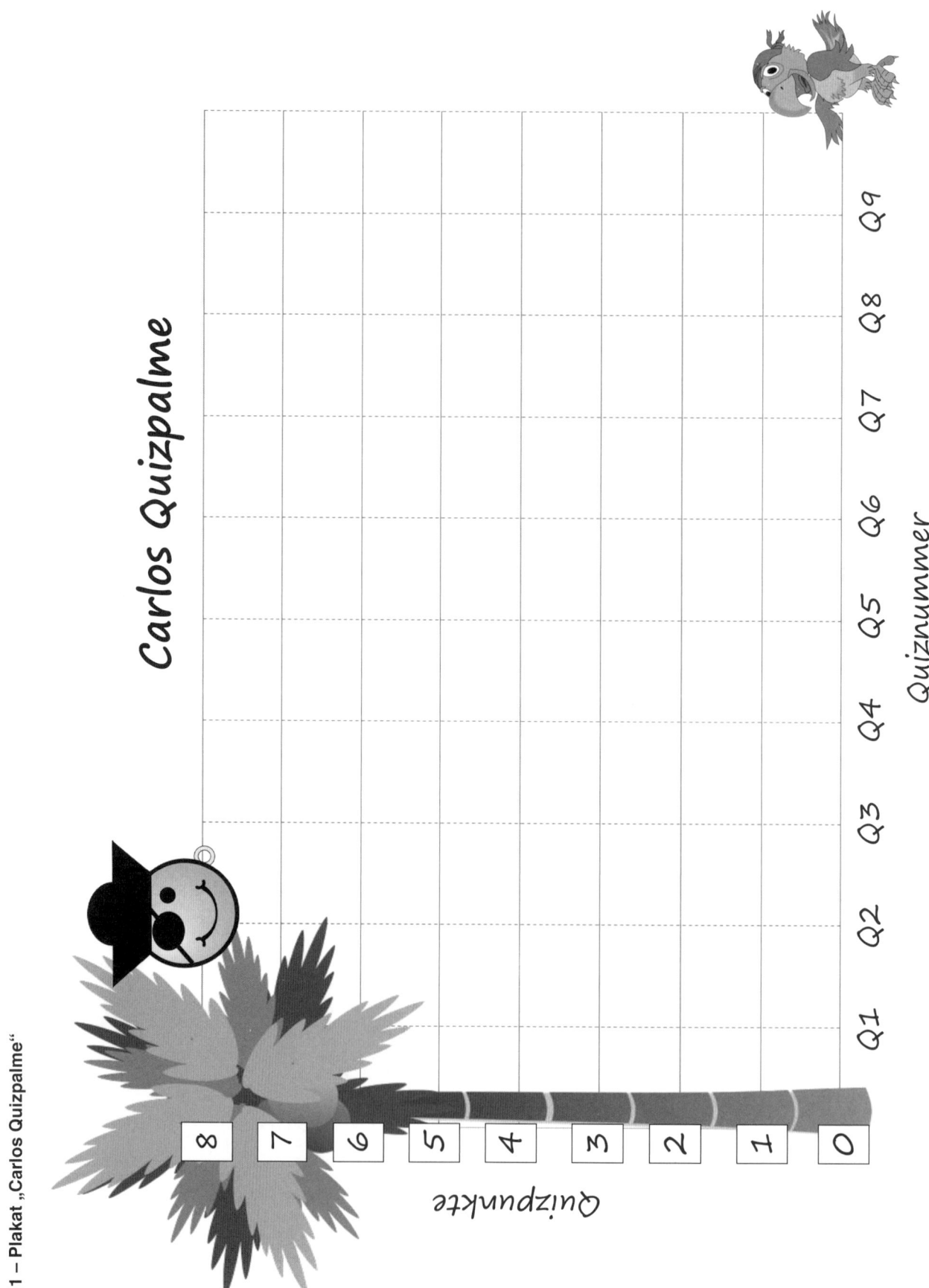

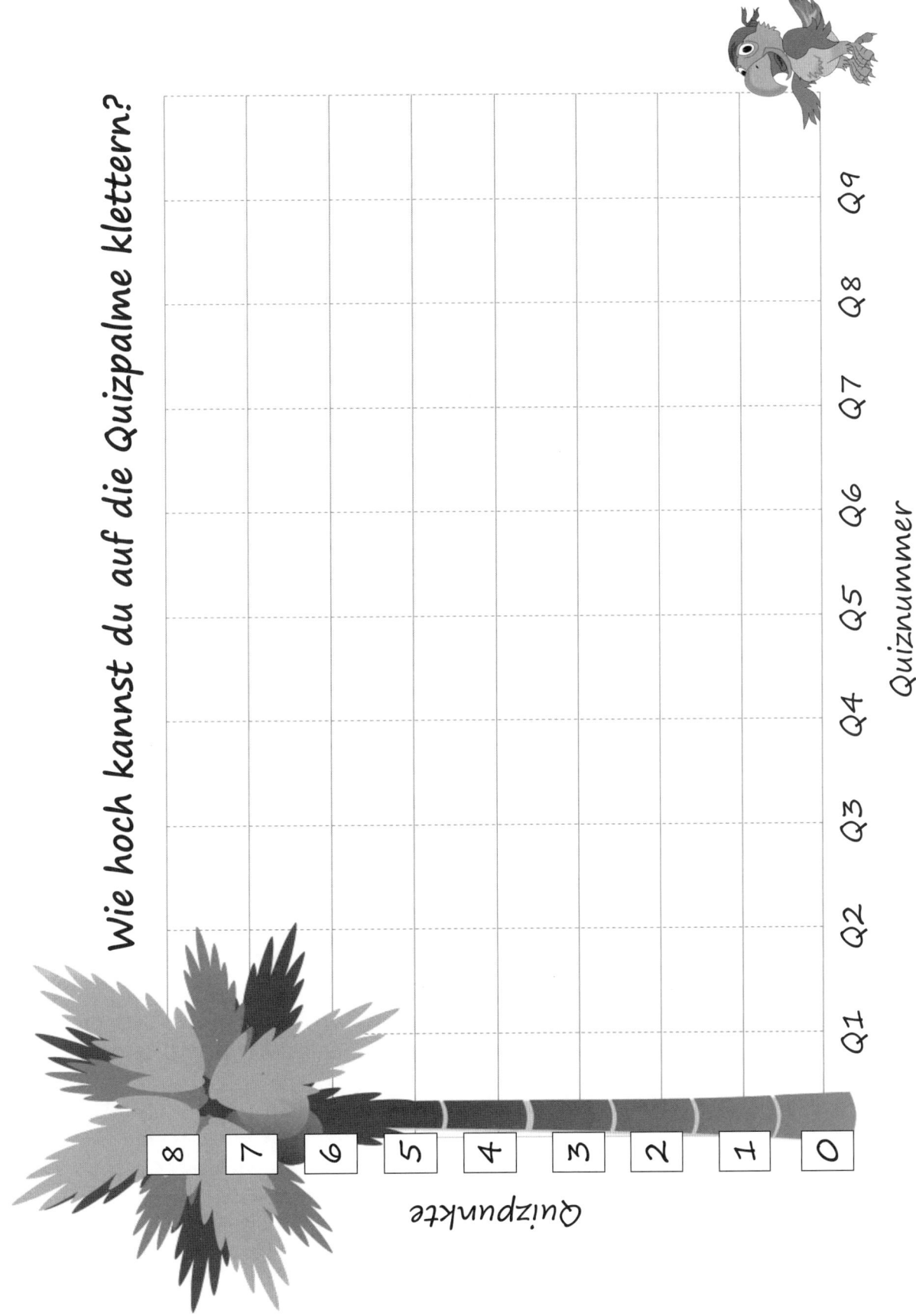

Wie hoch kannst du auf die Quizpalme klettern?

A12 – Quizpalme

Quizpunkte

8 7 6 5 4 3 2 1 0

Q1 Q2 Q3 Q4 Q5 Q6 Q7 Q8 Q9

Quiznummer

A13.1 – Urkunde für Schülerinnen

Lesekapitänin

Hiermit wird

_____

zur Kapitänin der Lesemeere ernannt!

Du hast alle Schwierigkeiten gemeistert und
den Leseschatz gefunden!

Herzlichen Glückwunsch!
Viele Grüße von Carlo und Einstein

A13.2 – Urkunde für Schüler

Lesekapitän

Hiermit wird

_____

zum Kapitän der Lesemeere ernannt!

Du hast alle Schwierigkeiten gemeistert und
den Leseschatz gefunden!

Herzlichen Glückwunsch!
Viele Grüße von Carlo und Einstein

Literaturverzeichnis

Artelt, C., Schiefele, U. & Schneider, S. (2001). Predictors of reading literacy. *European Journal of Psychology of Education, 16,* 262–383. http://doi.org/10.1007/BF0317 3188

Brown, A. L., Campione, J. C. & Day, J. D. (1981). Learning to learn: On training students to learn from texts. *Educational Researcher, 10,* 14–21. http://doi.org/10.3102/0013189X010002014

Cromley, J. G. & Azevedo, R. (2007). Testing and refining the direct and inferential mediation model of reading comprehension. *Journal of Educational Psychology, 99,* 311–325. http://doi.org/10.1037/0022-0663.99.2.311

Hacker, D. J. & Tenent, A. (2002). Implementing reciprocal teaching in the classroom: Overcoming obstacles and making modifications. *Journal of Educational Psychology, 94,* 699–718. http://doi.org/10.1037/0022-0663.94.4.699

Hattie, J. (2009). *Visible Learning. A synthesis of over 800 metaanalyses relating to achievement.* New York: Routledge.

Helmke, A. (2010). *Unterrichtsqualität und Lehrerprofessionalität. Diagnose, Evaluation und Verbesserung des Unterrichts.* Seelze-Velber: Kallmeyer in Verbindung mit Klett.

Klieme, E. & Warwas, J. (2011). Konzepte der individuellen Förderung. *Zeitschrift für Pädagogik, 57,* 805–818.

Koch, H. (2015). *Effekte des um Selbstregulationsprozeduren angereicherten Reziproken Lehrens. Regellehrkräfte als Strategieinstruktoren zur Förderung der Lesekompetenz von Grundschülern.* Potsdam: Universität Potsdam.

Koch, H. & Spörer, N. (in Druck). Effekte des Reziproken Lehrens im Vergleich mit einer von Lehrkräften konzipierten Unterrichtseinheit zur Förderung der Lesekompetenz. In M. Philipp & E. Souvignier (Hrsg.), *Implementation von Lesefördermaßnahmen. Perspektiven auf Gelingensbedingungen und Hindernisse.* Münster: Waxmann.

Koch, H. & Spörer, N. (in Vorb.). *Lesekompetenzförderung? Nicht nur Aufgabe des Deutschunterrichts. Effekte eines von Lehrkräften implementierten fächerübergreifenden Interventionsprogramms zur Förderung der Lesekompetenz von Dritt- und Viertklässlern.*

Mason, L. H. (2004). Explicit self-regulated strategy development versus reciprocal questioning: Effects on expository reading comprehension among struggling readers. *Journal of Educational Psychology, 96,* 283–296. http://doi.org/10.1037/0022-0663.96.2.283

Palincsar, A. S. & Brown, A. L. (1984). Reciprocal teaching of comprehension-fostering and comprehension-monitoring activities. *Cognition and Instruction, 1,* 117–175. http://doi.org/10.1207/s1532690xci0102_1

Palincsar, A. S., Brown, A. L. & Martin, S. M. (1987). Peer interaction in reading comprehension instruction. *Educational Psychologist, 22,* 231–253. http://doi.org/10.1080/00461520.1987.9653051

Rosenshine, B. & Meister, C. (1994). Reciprocal teaching. A review of the research. *Review of Educational Research, 64,* 479–530. http://doi.org/10.3102/00346543064004479

Schünemann, N. (2013). *Combining reciprocal teaching with self-regulated learning: A component-process analysis of fifth graders' reading strategy acquisition, reading comprehension, and collaborative group work.* Gießen: Universität Gießen.

Schünemann, N., Spörer, N. & Brunstein, J. C. (2013). Integrating self-regulation in whole-class reciprocal teaching: An analysis of incremental effects on fifth graders' reading comprehension, reading strategies and self-efficacy for reading. *Contemporary Educational Psychology, 38,* 289–305. http://dx.doi.org/10.1016/j.cedpsych.2013.06.002

Seuring, V. A. & Spörer, N. (2010). Reziprokes Lehren in der Schule: Förderung von Leseverständnis, Leseflüssigkeit und Strategieanwendung. *Zeitschrift für Pädagogische Psychologie, 24,* 191–205. http://doi.org/10.1024/1010-0652/a000016

Spörer, N., Brunstein, J. C. & Kieschke, U. (2009). Improving students' reading skills: Effects of strategy instruction and reciprocal teaching. *Learning & Instruction, 19,* 272–286. http://doi.org/10.1016/j.learninstruc.2008.05.003

Spörer, N. & Schünemann, N. (2014). Improvements of self-regulation procedures for fifth graders' reading competence: Analyzing effects on reading comprehension, reading strategy performance, and motivation for reading. *Learning & Instruction, 33,* 147–157. http://doi.org/10.1016/j.learninstruc.2014.05.002

Zimmerman, B. J. (2002). Becoming a self-regulated learner: An overview. *Theory into Practice, 41,* 64–70. http://doi.org/10.1207/s15430421tip4102_2.